ZONIA BOWEN
'Dy bobl di fydd fy mhobl i'

ZONIA BOWEN

'Dy bobl di fydd fy mhobl i'

y Lolfa

Argraffiad cyntaf: 2015

Argraffiad Print Bras ar gais
Cymdeithas Prif Lyfrgellwyr Cymru

Dymuna'r cyhoeddwyr gydnabod cymorth ariannol
Cyngor Llyfrau Cymru

Cynllun y clawr: Y Lolfa

Rhif Llyfr Rhyngwladol: 978 1 78461 147 7

Cyhoeddwyd, rhwymwyd ac argraffwyd yng Nghymru gan
Y Lolfa Cyf., Talybont, Ceredigion SY24 5HE
gwefan www.ylolfa.com
e-bost ylolfa@ylolfa.com
ffôn 01970 832 304
ffacs 832 782

Cynnwys

Rhagair

Dewisais 'Dy bobl di fydd fy mhobl i' yn deitl i'r gyfrol hon gan mai'r dyfyniad hwn o Lyfr Ruth yn yr Hen Destament oedd testun pregeth un o'm hen ffrindiau coleg pan ymwelodd â chapel y Parc, ger y Bala, tua 1969. Dywedodd wrthyf ar ôl y gwasanaeth ei fod wedi dewis y testun arbennig hwnnw gan ei fod wedi gobeithio y byddwn i yno yn y gynulleidfa oherwydd bod ei gynnwys yn berthnasol i fy mywyd.

Z.M.B.
Ionawr 2015

Rhagymadrodd

ER I MI fod yn briod â Geraint Bowen ers 1947 ac yn byw gydag ef am 64 o flynyddoedd tan ei farwolaeth yn 2011, gallaf eich sicrhau y bydd fy atgofion i yn hollol wahanol i *O Groth y Ddaear*, ei hunangofiant a gyhoeddwyd yn 1993.

Roedd Geraint eisoes wedi byw un rhan o dair o'i fywyd hir cyn i ni gwrdd. Roedd e'n 31 oed, yn Gymro i'r carn, wedi ennill y gadair yn yr Eisteddfod Genedlaethol, yn fab i weinidog yr efengyl ac wedi bod yn wrthwynebydd cydwybodol yn ystod yr Ail Ryfel Byd. Roeddwn i yn 20 oed, yn Saesnes o Swydd Efrog, ac yn ferch i anghrediniwr a oedd, cyn i mi gael fy ngeni, wedi gwasanaethu yn y fyddin am 21 mlynedd.

Roedd gwahaniaethau eraill rhyngom hefyd. Roedd Geraint wedi bod erioed, o leiaf tan ei flynyddoedd olaf, yn berson egnïol, yn gas ganddo wastraffu amser, yn gyflym wrth wneud pethau a doedd e byth yn dioddef o'r felan. Arferai ddweud wrthyf (yn Saesneg, gan nad oeddwn yn gallu siarad Cymraeg yn dda iawn bryd hynny), 'Happiness is in activity'.

Roeddwn innau, ar y llaw arall, wastad yn teimlo'n flinedig ac yn cymryd llawer mwy o amser i wneud pethau. Mi fyddwn yn treulio hydoedd hefyd yn breuddwydio, yn synfyfyrio ac yn damcaniaethu. Roeddwn yn pryderu am bopeth ac yn dueddol o ddioddef o'r felan a'r teimlad nad oeddwn yn gallu ymdopi.

Roeddwn hefyd yn boenus o swil, ac roedd Geraint ei hunan hefyd. Mae hyn yn rhywbeth rydym wedi gorfod ymladd yn ei erbyn drwy ein hoes er mwyn cyflawni ein dyletswyddau neu er mwyn gweithredu yn ôl ein cydwybod.

Dwi wedi bod yn ymwybodol iawn hefyd drwy fy oes o'r rhan y mae hap a damwain yn ei chwarae ym mywyd pob un ohonom. Pe na bai unrhyw un o'n cyndadau drwy'r canrifoedd wedi digwydd cwrdd â'i bartner, ni fuasai'r un ohonom yn bodoli heddiw. Buasai poblogaeth y byd yn hollol wahanol, heb sôn am ei hanes. Ac efallai, pe baem ni ein hunain wedi digwydd cymryd llwybr arall wrth ryw groesffordd fach neu fawr mewn bywyd, buasai pethau wedi bod yn hollol wahanol i ni fel unigolion.

Teulu fy Mam

BEAUMONT OEDD ENW morwynol fy mam ac, yn ôl fy nhad, a wnaeth lawer o waith ymchwil i'r mater, gallwn olrhain ein hachau yn ôl i'r Beaumonts a ddaeth drosodd o Normandi gyda Gwilym Goncwerwr yn 1066, ac ymhellach na hynny i frenhinoedd Ffrainc, a hyd yn oed ymhellach i frenhinoedd Sweden cyn i'r Llychlynwyr fynd i Normandi. Ond drwy'r canrifoedd wrth gwrs collodd llawer o ddisgynyddion di-rif y Beaumonts eu cyfoeth a, gwaetha'r modd, tlawd iawn oedd y gangen y perthynai ein teulu ni iddi.

Treuliodd fy nhaid, Blackburn Beaumont (1863–1951), ei holl oes ym mhentre Gomersal yng ngorllewin Swydd Efrog, a siaradai ag acen gref ddosbarth gweithiol yr ardal honno. Ac yntau'n ddim ond wyth oed, dechreuodd weithio mewn ffatri wlân leol, ond yn 14 oed cafodd brentisiaeth gan saer coed lle bu'n gweithio, 'a fortneet fer nowt, t'third week eighteen pence'. Erbyn i mi gael fy ngeni roedd e'n rhannol ddall oherwydd pilen ar ei ddau lygad, cyflwr nad oedd modd ei drin yn llwyddiannus yn y dyddiau hynny, ac felly nid oedd modd iddo barhau â'i waith fel saer. Er hynny, treuliai oriau bob dydd yn trin yr ardd gefn daclusaf a welais erioed lle tyfai bob math o flodau a llysiau. Roedd hefyd yn cadw ieir.

Hanai fy nain, Eliza Brace (1865–1932), o Swydd Caergrawnt lle roedd ei thad, Abraham Brace (1828–74), yn was ffarm ac yn heliwr adar gwyllt ar y corsydd. Roeddynt yn byw ym mhentre Whittlesey. Roedd ganddi ddau frawd, un yn hŷn a'r llall yn iau na hi, ond pan oedd hi'n chwech oed bu farw ei mam, Ellen Burbage (1835–71), ar enedigaeth merch fach arall.

Erbyn iddi fod yn saith oed roedd Eliza ei hun yn gweithio. Un o'i dyletswyddau oedd cerdded i fyny ac i lawr caeau newydd eu hadu neu ydfeysydd yn ysgwyd clepiwr pren i ddychryn yr adar i ffwrdd. Yna pan oedd hi'n wyth oed bu farw ei thad hefyd a chwalwyd y teulu. Danfonwyd Eliza a'i brawd iau at chwaer ei mam (Mother Green) a oedd yn briod ac yn byw yn Cleckheaton, Swydd Efrog, y dref fach agosaf at Gomersal, a dyna sut digwyddodd iddi gwrdd â Blackburn Beaumont.

Priododd Blackburn ac Eliza yn ifanc iawn, yntau tuag 20 oed a hithau tua 18. Nid oedd bywyd yn hawdd iddynt, yn enwedig i

Eliza. Cawsant ddeg o blant, pedair merch a chwe bachgen. Fy mam, Ella Beaumont (1888–1974), oedd y drydedd o'r merched. Roedd arian yn brin ac yn ogystal â gofalu am y teulu a gwneud yr holl waith tŷ roedd raid i fy nain geisio ennill ychydig o bres drwy olchi dillad pobl eraill.

Pan oedd fy chwaer a minnau'n fach doeddem ni byth yn blino clywed straeon a adroddai Mam am ei phlentyndod; am yr adeg iddi fynd â rhai o'i brodyr a'i chwiorydd iau am dro yn y pram a cholli gafael arno wrth fynd i lawr rhiw serth, a'r pram yn rhedeg i ffwrdd a throi drosodd a'r plant bach i gyd yn cwympo allan; yr adeg fin nos pryd roedd ei hewythr wrth ei waith fel turniwr yn ei sied ddrws agored yng ngolau cannwyll, a'i chyfnither a hithau'n chwythu'r gannwyll allan ac yn rhedeg i ffwrdd gan adael i'w hewythr feddwl mai'r gwynt o'r drws a oedd yn gyfrifol am y tywyllwch sydyn; a'r amser y bu iddi hi a'i chyfnither gael eu herlid gan darw gwyllt a oedd wedi dianc, a gwragedd mewn tŷ ymhellach i lawr y lôn yn agor eu drws iddynt gan weiddi, 'Run, bairns, run!'

Fel oedd yr arfer bryd hynny gadawodd Mam yr ysgol pan oedd hi tua 12 oed, ond hyd yn oed cyn hynny roedd hi'n beth a alwyd yn 'half timer'. Hynny yw, roedd hi'n mynd i'r ffatri wlân, gan orfod cerdded i lawr lôn unig, dywyll erbyn chwech o'r gloch y bore i weithio tan amser cinio, ac yna'n mynd i'r ysgol yn y prynhawn. Lleoedd peryglus iawn oedd y ffatrïoedd gwlân, a dillad y merched neu eu gwallt hir weithiau yn cael eu tynnu i grombil y peiriannau swnllyd.

Erbyn i Mam gyrraedd 20 oed roedd hi wedi cael dyrchafiad a bellach yn *burler and mender* (un a oedd yn tynnu'r clymau damweiniol neu'r namau eraill allan o hyd o frethyn ac wedyn ei drwsio â llaw). Roedd hi hefyd am beth amser yn un o'r hyn a alwai'r gweithwyr eraill yn 'young Tom's beauties'. Young Tom oedd mab y perchennog. Un o'i ddyletswyddau ef oedd derbyn ymwelwyr pwysig i'r ffatri. I gyrraedd ei swyddfa roedd raid cerdded heibio ffenestr hir a thu ôl iddi byddai rhes o ferched yn pacio cenglau o wlân mewn bocsys. Roedd Tom yn ofalus iawn wrth ddewis a byddai'n gofyn i'r merched mwyaf deniadol wneud y gwaith hwn.

A merched hŷn Blackburn ac Eliza i gyd yn dod â'u cyflog adref gwelwyd gwellhad yn safon byw'r teulu. Fel Mam, bu'r rhan fwyaf o'i brodyr a'i chwiorydd yn gweithio yn y ffatrïoedd gwlân ar ryw adeg neu'i gilydd, y merched nes iddynt briodi ac o leiaf ddau o'i brodyr am weddill eu hoes.

Bu farw un plentyn, Henry, yn flwydd a

deng mis oed o ddifftheria. Bu mab arall, John, farw yn ifanc o glefyd yr aren, a chafodd mab arall, Willie, ei ladd ym mrwydr Ypres yn ystod y Rhyfel Byd Cyntaf ac yntau'n ddim ond 19 oed. Mae ei enw ar y Menin Gate gyda gweddill aelodau'r King's Own Yorkshire Light Infantry ac aelodau catrodau eraill a gollwyd 'without trace' yn y frwydr honno. Mae ei lythyr olaf at fy mam gennyf o hyd. Ynddo, ymysg pethau eraill, mae'n cyfeirio at ddigwyddiad blaenorol:

My feet do not get much better. I could not tell you what is the matter with them but ever since I got buried in the trench I have never been the same. I can walk about but if it comes to a march I should be no good.

Pan oeddem yn blant roedd fy chwaer a minnau wrth ein boddau yn mynd gyda Mam i ymweld â Grandad a Grandma Beaumont. Ar y tram y byddem yn mynd i Gomersal o Heckmondwike lle roeddem yn byw. Dwi'n cofio yn ystod yr Ail Ryfel Byd i gledrau'r tramiau gael eu codi a'u casglu, ynghyd ag unrhyw gatiau a rheiliau haearn a oedd o gwmpas y tai, er mwyn cael metel i wneud arfau ac offer rhyfel.

Pan oeddem yn fach roedd bwthyn fy nain a'm taid fel petai wastad yn llawn o berthnasau eraill, yn ewythrod, yn fodrybedd ac yn gefndryd. Roedd croeso cynnes i bawb bob amser, er bod yn rhaid i'r plant sefyll wrth y bwrdd bwyd weithiau pan nad oedd digon o gadeiriau i bawb.

Ein ffrindiau gorau ni ymysg ein cefndryd am flynyddoedd oedd dwy chwaer tua'r un oed â ni sef Mary a Gladys. Fel mae'n digwydd, yn dilyn yr Ail Ryfel Byd pan oedd Mary wedi bod yn gwasanaethu yn y Llu Awyr, priododd hithau Gymro Cymraeg, Leonard Rolfe, o Langennech.

Wrth ymweld â'n cefndryd yn Gomersal cawsom lawer o hwyl yn chwarae y tu allan os oedd hi'n braf neu'n chwarae cuddio a phob math o gêmau eraill yn y tŷ os byddai'n glawio. Byddai Grandad Beaumont yn adrodd straeon i ni – un dwi'n ei chofio'n arbennig oedd 'Pansy fro' Pudsey' – neu'n canu caneuon digri am hen ŵr o'r enw Bumptious a oedd yn hoff iawn o'r merched.

Hoffem Grandma Beaumont yn fawr iawn hefyd. Byddai'n cadw'r bwthyn â'i ddodrefn syml, gwerinol, hen ffasiwn yn lân bob amser. Roedd hi'n garedig iawn ac wastad yn cadw bag o felysion naill ochr mewn cwpwrdd cornel ar gyfer y plant. Byddai'n dod â nhw o'r cwpwrdd gan eu dal i fyny a galw, 'Who loves me? Who loves me?' a'r plant yn rhedeg ati i gael un bob un. Ond *spice* yn hytrach na *sweets* y byddem yn galw melysion pan oeddem yn fach, a *cake* yn hytrach na *bread* oedd gair fy nain am fara. *Sweetcake* oedd y gair a ddefnyddid am deisen. Ambell dro byddai hi'n dod ag orenau allan ac yn eu taflu i fyny i'r awyr, sawl un ar y tro, a'u dal nhw fel jyglwr mewn syrcas. Roedd ganddi hefyd gath fach ddu o'r enw Topsy Whitebreast.

Nid oes gennyf unrhyw gof o gwbl o fy nain a'm taid Beaumont yn mynychu man addoli. Dywedodd fy mam fod hi a'i chwiorydd pan oeddynt yn ifanc yn arfer mynd i ddigwyddiadau cymdeithasol a oedd yn cael eu cynnal gan sawl gwahanol enwad, er mwyn cael rhywbeth i'w wneud fin nos – a dywedodd hefyd ei bod hi'n aelod o'r Girls' Friendly Society a drefnwyd gan yr Eglwys. At Eglwys y Plwy, Gomersal roedd y teulu yn arfer troi hefyd ar gyfer priodasau ac angladdau.

Mae gennyf gof plentyn o fynd yno i briodas brawd ieuengaf fy mam, Uncle Harold, ond mewn festri capel bach yn Little Gomersal yn agosach at gartref y teulu y cynhaliwyd y parti dilynol. Yno, wedi i ni gael llond bol o frechdanau, jeli a theisennau, chwaraewyd pob math o gêmau parti. O'r rhai hynny yr un sy'n aros fwyaf yn fy nghof yw gêm a oedd yn draddodiadol mewn achlysuron felly. Byddai pob un a oedd yn bresennol, yn blant ac yn oedolion, yn ffurfio cylch gan ddal dwylo'i gilydd a cherdded o gwmpas yr un a oedd wedi'i ddewis i fod yn King William, gan ganu'r geiriau:

King William was King James's son
And all the royal rest was done.
And on his breast he wore a star
Pointing to the royal R.
Choose in the East, choose in the West,
Choose the one you love the best.
If she's not here to take a part,
Choose the one with all your heart.

Yna byddai King William yn dewis *bride* a mynd â hi gydag ef i ganol y cylch, a byddai'r gân yn parhau:

Down on this carpet you must kneel
As the grass grows in yon' field.
Salute your bride and kiss her sweet.
Rise again upon your feet.

Wedi i'r cwpl ufuddhau i'r gorchymyn a chusanu ymysg llawer o biffian chwerthin a churo dwylo byddai King William yn ymuno â'r rhai a oedd yn ffurfio'r cylch gan adael ei *bride* yng nghanol y cylch. Wedi ailadrodd y gân, ei thro hi fyddai dewis partner a'i gusanu. (Dwi wedi edrych ar goeden deulu brenhinoedd Lloegr fwy nag unwaith wedi hynny i geisio darganfod pa King William a oedd yn fab i ba King James, ond wedi methu datrys y broblem.)

Bu farw fy nain o ganser yn 67 oed. Roedd ei gwely i lawr y grisiau yn y parlwr yn ystod ei dyddiau olaf, a gwahanol aelodau o'r teulu yn dod yn eu tro i eistedd gyda hi. Roedd hi wedi bod yn ddiymadferth ers dyddiau, ond y noson cyn iddi farw eisteddodd i fyny yn y gwely a chanu, a'i llais yn glir fel cloch:

I'll go work in thy vineyard. There's plenty
  to do.
The harvest is great and the labourers are
  few.
There are sheep to be tended and lambs to
  be fed.
The weary, the lame and the blind must be
  led.

Cofiaf fynd i'w hangladd a chael fy nghodi i'w gweld hi yn yr arch yn y tŷ a dweud ffarwél cyn iddynt gau'r caead. Chwech oed oeddwn i. Claddwyd hi ym mynwent Eglwys y Plwy, Gomersal. Bob blwyddyn wedi hynny, yn ystod cyfnod y Nadolig, byddwn yn mynd gyda fy mam i roi torch o gelyn ar ei bedd.

Bu fy nhaid fyw am ryw 20 mlynedd arall a'i ferch ddibriod, Isabel, yn gofalu amdano.

Wrth i'r blynyddoedd fynd heibio a nifer o aelodau iau'r teulu yn ymadael â'r ardal, yn enwedig yn ystod yr Ail Ryfel Byd, aeth y tŷ yn dawelach.

Mae gennyf atgofion melys o'r oriau a dreuliwn, pan oeddwn yn fyfyrwraig ar fy ngwyliau o'r 'coleg ar y bryn', yn eistedd ar fainc yng ngardd fy nhaid ar ddiwrnodau poeth perffaith o haf, a'r ieir yn clochdar yn y cefndir. Byddai Blackburn yn ei het Banamâ yn ymhél â rhyw fân bethau o gwmpas yr ardd a minnau'n astudio'n ddiwyd y gwersi Cymraeg yn llyfr Caradar, *Welsh Made Easy.*

Yn hen ddyn nad oedd yn gallu gweld yn iawn, roedd Blackburn yn dueddol o golli bwyd ar ei siwt wrth fwyta, a'i ferch Isabel yn dweud wrtho, 'Don thi brat!' (Gwisg dy frat!). Ie, roedd 'brat' yn air cyffredin yn Swydd Efrog hefyd am *apron.* Mae'n un o'r geiriau Celtaidd (o'r un gwreiddyn â'r gair 'brethyn') sydd wedi goroesi yn yr ardal ers dyddiau'r Hen Ogledd.

Peth arall sydd wedi aros yn fy nghof yn glir yw'r digwyddiad un diwrnod yng nghegin Grandad Beaumont pan oeddwn gartref o'r coleg dros yr haf ym mis Awst 1945. Roeddwn yn eistedd yno gyda fy nhad a'm mam a'r ddwy fodryb, Florrie ac Isabel, a oedd yn clebran â'i gilydd am bethau dibwys cyffredin. Roedd y radio ymlaen yn dawel yn y cefndir ond, yn sydyn, torrwyd ar draws y rhaglen i gyhoeddi bod llu awyr America wedi gollwng y bom atom cyntaf ar Hiroshima. Neidiodd fy nhad a minnau ar ein traed a rhuthro at y radio er mwyn clywed yn well. Peidiodd y mân siarad yn y gegin ar unwaith, a'r ddwy wraig oedrannus wedi'u syfrdanu nid gan y newyddion ar y radio ond gan ymddygiad fy nhad a minnau. Roedd tawelwch llwyr yn y gegin am rai eiliadau tra oedd y llais ar y radio yn rhoi mwy o fanylion am y digwyddiad erchyll yn Siapan. Yna trodd Florrie at ei chwaer a thorri'r distawrwydd drwy ddweud, 'Do'st tha know, Isabel, they've put t'price o sugar up in't Co-op by another ha'penny?'

Teulu fy Nhad

ER BOD TREF fach Heckmondwike, Swydd Efrog, lle bu teulu fy nhad yn byw, yn ddim ond rhyw dair neu bedair milltir o Gomersal lle bu teulu fy mam yn byw, dwi ddim yn credu i rieni fy nhad erioed gyfarfod â rhieni fy mam. Roedd aelodau teulu Dad, a oedd yn berchnogion busnesau bach, yn athrawon, neu'n weithwyr 'coler gwyn', yn ystyried eu bod yn perthyn i ddosbarth cymdeithasol uwch.

Bu fy nhaid, James North (1857–1938), a fy nain, Marion Barber (1853–1938), gwrdd â'i gilydd yn gyntaf pan oedd y ddau yn ddisgybl-athrawon yn Heckmondwike Upper Independent School. Aeth James ymlaen i ddilyn cwrs yng ngholeg hyfforddi Headingly yn Leeds a Marion i ddilyn cwrs yng ngholeg hyfforddi Bingley ger Bradford.

Wedi iddi dderbyn ei thystysgrif fel athrawes, agorodd Marion *dame school* ym mharlwr tŷ ei rhieni, ond, gyda rhyw hanner dwsin o ddisgyblion yn unig yn talu naw ceiniog yr un bob wythnos, doedd y fenter ddim yn gwneud elw. Yna daeth Deddf Addysg 1870 ac agorwyd nifer fawr o ysgolion y wladwriaeth. Roedd athrawon yn brin a phenodwyd Marion yn brifathrawes ysgol Cleator Moor yn Cumberland (Cumbria heddiw), a hithau'n ddim ond 19 oed. Bedair blynedd wedi hynny, symudodd hi yn ôl i Heckmondwike fel prifathrawes Victoria Street Infants School.

Yn y cyfamser, roedd James wedi cael swydd fel prifathro ysgol Cottingwith yn nwyrain Swydd Efrog a dyna lle aeth Marion i fyw ar ôl iddynt briodi yn 1881. Cyn bo hir cawsant swyddi ar y cyd fel prifathro a phrifathrawes ysgol bentre Watlington yn Swydd Norfolk lle roeddynt yn byw yn nhŷ'r ysgol. Yno y ganwyd eu pedwar plentyn cyntaf; fy nhad, Frank Gordon North (1885–1986), oedd y pedwerydd.

Yna, sgandal – roedd disgybl-athrawes yn yr un ysgol â James yn disgwyl plentyn ac amheuwyd mai James oedd y tad! Gadawodd Marion a dychwelyd i gartref ei rhieni yn Heckmondwike gyda'i phedwar plentyn.

Wedi cyfnod o ddagrau, darbwyllwyd Marion gan ei thad i fynd yn ôl at James, a chafodd y ddau swyddi newydd yn Waddingham, Swydd Lincoln lle ganwyd y pumed plentyn. Symudon nhw wedyn i

Melbourne, Swydd Efrog, lle ganwyd tri phlentyn arall, y ddau olaf yn efeilliaid. Ar ôl rhoi genedigaeth i wyth plentyn o fewn saith mlynedd, gadawodd Marion ei gŵr unwaith eto, gan fynd â'r plant i gyd gyda hi. Ni ddychwelodd y tro hwn.

Cafodd swydd newydd fel prifathrawes Battye Street Infants School yn Heckmondwike, gan adael fy nhad, ac yntau'n ddim ond pedair oed, gyda'i nain a oedd erbyn hynny'n wraig weddw. Gyda chymorth perthnasau eraill, llwyddodd Marion i fagu'r plant eraill mewn tŷ ar wahân, gan fynd â'r rhai hŷn i'r ysgol gyda hi.

Wedi ymadawiad ei wraig aeth James yn athro i Skelton ac yn ddiweddarach i Lingdale fel prifathro'r Boys' Council School yno. Roedd y naill le fel y llall mewn ardal o'r enw Cleveland yng ngogledd Swydd Efrog lle'r arhosodd am weddill ei oes. Roedd yn uchel iawn ei barch yno.

Anaml iawn y gwelai fy chwaer a minnau Grandad North, ond weithiau pan oeddem ar wyliau haf gyda'n rhieni yn Redcar neu Saltburn-by-the-Sea, byddem yn mynd am y dydd i'w weld. Ambell dro hefyd byddai ef yn galw heibio i'n gweld ni yn y swyddfa bost a gadwai fy nhad yn Liversedge, ryw ddwy filltir o Heckmondwike, pan fyddai ar ymweliad â'i berthnasau eraill yn yr ardal.

Y tro olaf dwi'n cofio'i weld, ac yntau'n hen ddyn, roedd e'n eistedd yn ein cegin y tu ôl i'r swyddfa bost a phwy ddaeth i mewn i godi ei phensiwn ond Marion, ei wraig. Doedd y ddau ddim wedi gweld ei gilydd ers blynyddoedd. Dywedodd fy nhad wrthi, 'I think there's someone in the kitchen who knows you'. Y diwrnod hwnnw gadawodd fy nain a'm taid ein tŷ fraich ym mraich i ddal y bws i Heckmondwike. Ond toc wedi hynny, gwnaeth Marion yn siŵr ein bod yn gwybod, 'that she was not going to take him back!'

Fel y gellid ei ddychmygu, roedd Grandma North yn ddynes hunanbarchus iawn. Byddai'n eistedd wrth y tân gan ddal papur newydd wedi'i blygu o flaen ei hwyneb rhag ofn i wres y tân wneud ei thrwyn yn goch, a byddai'n well ganddi ddefnyddio chwyddwydr i ddarllen yn hytrach na gwisgo sbectol. Roedd hi'n gorwedd ar ei gwely angau cyn i ni sylweddoli mai wig oedd ei gwallt tywyll, a bod ei gwallt ei hun yn wyn fel yr eira.

Dwi'n cofio mynd i'w hangladd pan oeddwn tua 12 oed. Cynhaliwyd y gwasanaeth yn George Street Congregational Chapel a chladdwyd hi ym mynwent Heckmondwike. Bu Grandad North farw o drawiad ar y galon

25

ar ei wyliau yn Bridlington ddeg wythnos cyn hynny. Claddwyd ef hefyd ym mynwent Heckmondwike.

Ers pan oedd yn bedair oed, cafodd fy nhad, Frank Gordon North (1885–1986), ei fagu gan ei nain weddw, Charlotte Barber. Dywedodd fy nhad amdani, 'an unrelenting puritan'. Roedd ganddi, meddai, ddisgyblaeth lem a chreulon a chafodd blentyndod anhapus iawn.

Fy nhad oedd un o ddisgyblion cyntaf Heckmondwike Grammar School pan agorwyd hi fel ysgol ramadeg yn 1898. Ond ychydig fisoedd yn unig y bu yno gan i'w nain ddylanwadu ar ei fam i'w dynnu o'r ysgol a'i ddanfon i weithio er mwyn cael arian i'r teulu. Roedd y digwyddiad hwn yn rhywbeth a ddigiai fy nhad weddill ei oes gan i'w frawd hŷn, a oedd eisoes yn ddisgybl mewn ysgol ramadeg arall, fynd ymlaen i goleg hyfforddi athrawon a dod yn brifathro ei hun yn y diwedd.

Danfonwyd fy nhad i weithio at gwmni a oedd yn hurio cerbydau, ond gan mai ef oedd y gweithiwr ieuengaf cafodd yr holl waith budr fel 'clearing out muck carts'. Cafodd ei fwlio'n gas hefyd gan y bechgyn hŷn a oedd yn gweithio yno, ac roedd arno eu hofn wastad.

Wrth fynd yn hŷn gwnaeth sawl cynllun

i ddianc a rhedeg i ffwrdd at ei dad. Ar un achlysur llwyddodd i gyrraedd siop gwystlwr yn Huddersfield lle ceisiodd gael arian am ei gôt er mwyn prynu tocyn trên, ond danfonodd y gwystlwr am yr heddlu, a dyna oedd diwedd yr antur.

O'r diwedd, ac yntau'n rhyw 17 neu 18 oed, llwyddodd fy nhad i wneud ei ffordd i gartref ei dad yng ngogledd Swydd Efrog a chael gwaith fel swyddog tocynnau yng ngorsaf North Skelton. Manteisiodd hefyd ar bob cyfle i ddysgu, yn enwedig ym meysydd gwleidyddiaeth a chrefydd, trwy ddarllen llyfrau a chylchgronau ei dad, fel y cyfnodolyn sosialaidd y *Clarion*, a phapurau newyddion a chylchgronau eraill fel y *Freethinker* a oedd wedi'u gadael ar ôl gan deithwyr ar y trenau neu yn yr ystafelloedd aros.

Penderfynodd ar ôl peth amser mai'r unig ffordd i gyrraedd ei ddau nod o gael addysg a gweld y byd, oedd ymuno â'r fyddin. Gyda'i gefnder, Tom North o Heckmondwike (a fu'n gyfaill pennaf iddo drwy ei oes), ymunodd â'r Lincolnshire Regiment. Y rheswm iddynt ddewis y Lincolnshires oedd fod y gatrawd honno wedi ymgartrefu yn Llundain, dinas roedd y ddau gefnder wastad wedi dymuno ei gweld. Cyn bo hir roedd fy nhad ar ddyletswydd yn gwarchod mynedfa Tŵr Llundain. Dysgodd hefyd ganu'r clarinét, a daeth yn aelod o fand pres y gatrawd.

Ddwy flynedd yn ddiweddarach danfonwyd ef i India ac yna i Aden. Roedd ei brofiad yn y parthau hyn yn lledu ei orwelion a, chyn bo hir, daeth i'r casgliad mai peth anfoesol oedd polisi'r imperialwyr Prydeinig o adeiladu ymerodraeth drwy wladychu tiroedd pobloedd eraill.

Dysgodd siarad Hindwstaneg yn rhugl, ac roedd ganddo barch a chydymdeimlad â'r rhai difreintiedig ym mhobman. Astudiodd eu gwahanol grefyddau ac edmygai rai agweddau ar eu credoau, yn enwedig Bwdistiaeth, ond barnai mai mytholeg oedd yr holl chwedlau am wyrthiau goruwchnaturiol a oedd wedi tyfu am arwyr pob crefydd yn ddieithriad. Sylweddolodd fod pob syniad am fod goruwchnaturiol a ofalai amdanom, neu am baradwys yn y dyfodol y tu hwnt i'r bedd, yn ddim byd ond breuddwydion gwag a dymuniadau ofer.

Flynyddoedd wedyn, adroddai straeon cyffrous niferus am ei anturiaethau wrthym ni fel plant, ac ysgrifennodd lawer o straeon byrion yn ymwneud ag India. Mae copïau ohonynt dal gennyf, a'r cerddi a'r caneuon a gyfansoddodd hefyd, ond, ni chafodd yr un ohonynt eu cyhoeddi, am wn i. Roedd yn eu cadw, fel dwi'n eu cadw o hyd, gyda'i bapurau eraill mewn cist ledr roedd ef yn ei galw'n *yakdan*. Yn ôl fy nhad, perthynai'r *yakdan* ar un adeg i Francis Younghusband (1863–1942), swyddog yn y Fyddin Brydeinig a oedd yn adnabyddus am ei deithiau yn Asia a'r Dwyrain Pell ac am arwain yr ymgyrch Brydeinig i Tibet yn 1904. (Yn ystod Diwygiad 1904–5 daeth Younghusband i Gymru i geisio cyfarfod ag Evan Roberts, ac ysgrifennodd bennod ar 'The Welsh Revival' mewn llyfr o'r enw *Modern Mystics*.)

Yn y gist hefyd y mae'r llythyr canlynol o gymeradwyaeth a ysgrifennwyd yn Simla yn 1912 gan Ysgrifennydd Cyffredinol Cymdeithas Ddirwest Frenhinol y Fyddin yn India:

Dear Corporal North,

As I hear you are shortly going home, your time having expired, I write to wish you every success on your return to civil life, and trust that you will have no difficulty in securing a good position. The number of years you have remained a total abstainer should be very greatly in your favour, and that, added to the certificate of education you have gained and the excellent Regimental character, ought to convince any employer of what I know you to be, a steady, capable and reliable man, worthy of every trust and confidence.

You are at liberty to show this letter to any employer, and I hope soon to hear from you that you have secured the work you want.

With best wishes.

Yours sincerely,

(Rev.) H. C. Martin, M.A.

Pan ddychwelodd fy nhad i Heckmondwike yn 1912, cyfarfu â'm mam. Flwyddyn yn ddiweddarach roeddynt yn cynllunio i briodi ond, gan fod Dad yn filwr 'wrth gefn' ac yn cael trafferth i gael gwaith addas ym Mhrydain, penderfynodd fynd i Ganada i chwilio am waith.

Y bwriad oedd iddo fynd i Ganada gyda'i chwaer ieuengaf, Olive, i ymweld â'u chwaer hŷn, Lily, a oedd erbyn hynny'n briod ac yn byw yn Asquith, Saskatchewan. Os oedd gwell gobaith am waith yng Nghanada, byddai'n danfon am fy mam, neu'n dod yn ôl i Loegr yn gyntaf i'w phriodi a mynd â hi yn ôl i Ganada.

Hwyliodd fy nhad a'i chwaer o Lerpwl ar yr SS *Megantic* ar 10 Mehefin 1913. Ar y daith cwrddodd â Sais a'i darbwyllodd mai ffermio fyddai'r dewis gorau ar gyfer ei ddyfodol yng Nghanada. Wedi treulio peth amser gyda Lily a'i gŵr yn Asquith, gadawodd fy nhad ei chwaer ieuengaf yno a chychwyn ar y trên tua'r Rockies. Yna, gan deithio peth o'r ffordd ar gert agored ac wedyn ar droed, croesodd yr Yellow Head Pass a chrwydrodd o un rhandir i'r llall yn yr ardal ar y ffin rhwng British Columbia ac Alberta, yn cysgu yn yr awyr agored, yn ymolchi mewn nentydd ac yn chwilio am waith i'w gadw tra oedd yn dysgu tipyn am Ganada.

Pan oeddem yn blant, dwi'n cofio iddo ddweud wrthym sut daeth yn gynnar un bore at afon Fraser. Roedd hi'n llydan ac yn llifo'n wyllt, ond roedd arno angen ei chroesi. Dim ond megis dechrau cael ei hadeiladu roedd y bont enfawr y bwriedid ei chodi ac, er mwyn mynd i'r ochr draw, bu raid iddo gerdded, a chropian weithiau, yr holl ffordd ar draws rhyw drawst cul.

Dro arall, tu allan i ryw bentre un noson, roedd e'n swatio ac yn barod i gysgu yn yr awyr agored o dan ei flanced yn ymyl cledren. Yn sydyn, clywodd sŵn shifflo a snwffian. Sylweddolodd mai arth anferth oedd yn ei ffroeni. Daeth arswyd drosto, ond gorweddodd yn hollol lonydd gan gymryd arno ei fod wedi marw. Yn y diwedd ac er mawr rhyddhad i fy nhad, collodd yr arth ddiddordeb ynddo a gadael. Ar ôl i'r arth ddiflannu neidiodd fy nhad ar ei draed a'i heglu hi mor gyflym ag y gallai i lawr i orsaf y pentre.

Yn rhandir 163 cafodd waith am ryw fis gyda 17 labrwr arall yn cario boncyffion hir a gweithio â rhaw. Bu'n glawio'n ddi-baid drwy gydol yr adeg. Ac yntau'n wlyb at y croen, yn teimlo'n sâl, ac yn gorfod byw ar frechdanau a bisgedi, roedd wedi llwyr ymlâdd.

Daeth cynlluniau fy nhad i ymgartrefu yn barhaol gyda fy mam yng Nghanada i ben yn sydyn iawn. Drwy gerdded i randir 164 roedd yn gallu danfon a derbyn llythyrau, a chan ei fod dal yn 'filwr wrth gefn', penderfynodd ysgrifennu at awdurdodau'r fyddin i ddweud beth oedd ei fwriad. Gyda'r troad cafodd ateb swta yn dweud nad oedd hawl ganddo i wneud y fath beth a bod yn rhaid iddo ddychwelyd i Brydain ar unwaith. Nid oedd ganddo ddewis felly ond dal y llong nesaf yn ôl i Loegr, gan adael Olive gyda'i chwaer yn Saskatchewan.

Trefnodd fy rhieni i briodi yn Swyddfa Gofrestru Dewsbury ar 5 Awst 1914. Ond roedd yr amgylchiadau rhyngwladol ymhell o fod yn dda, ac ar y diwrnod cyn eu priodas cyhoeddodd Prydain ryfel yn erbyn yr Almaen. Ar fore ei briodas derbyniodd fy nhad orchymyn i ailymuno â'i gatrawd ar unwaith. Teithiodd ef a'm mam i Dewsbury ar y tram ar gyfer eu seremoni briodas, gyda'u dau dyst, George, brawd Dad a Mary, chwaer Mam. Bedair awr yn ddiweddarach roedd fy nhad ar ei ffordd i ymuno â'i gatrawd yn Swydd Lincoln. Doedd dim lle i'r holl filwyr gysgu yn y neuadd, a threuliodd fy nhad noson ei briodas yn cysgu ar y lawnt 'next to a drunken Irishman'.

Roedd e'n un o'r milwyr cyntaf yn ystod y rhyfel i groesi'r cyfandir ac yn un o'r 'Old Contemptibles' ar yr enciliad o Mons. Gwasanaethodd drwy'r rhyfel ar ei hyd, gan ymladd yn y ffosydd yng ngwlad Belg ac yn Ffrainc. Cymerodd ran mewn 35 brwydr yn cynnwys Aisne, Marne, Somme ac Ypres, gan gael ei glwyfo ddwywaith, ond nid yn ddrwg iawn. Enillodd sawl medal a Seren Mons. Ond er gwaethaf yr amgylchiadau arswydus a'r holl berygl, roedd yn mwynhau'r frawdoliaeth a gweithio fel tîm gyda'i gyd-filwyr a ddibynnai ar ei gilydd yn wyneb angau. Byddai'n sôn yn aml yn ei henaint am yr adegau hyn, ac yn dweud, fel pe bai ef ei hunan yn rhyfeddu at y peth hyd yn oed, 'Do you know, the happiest time of my life was spent on the Western Front!'

Cadwodd ddyddiadur a cheir cofnod ar gyfer pob diwrnod yn ystod y Rhyfel Byd Cyntaf

33

ac mae hwnnw dal yn y gist sydd gennyf. Ond nid dyddiadur personol mohono, mae'n ymdebygu'n fwy i adroddiad swyddogol o weithgareddau dyddiol ei fataliwn, yn nodi sut fath o dywydd oedd hi, nifer yr anafedigion, a phethau felly. Defnyddiodd hwn wedyn i ysgrifennu hanes ei gatrawd yn ystod y Rhyfel Byd Cyntaf. Mae ei gopi teipiedig ar gael o hyd yn amgueddfa'r gatrawd yn Lincoln.

Tra oedd yn Ffrainc manteisiodd fy nhad ar y cyfle i ddysgu siarad Ffrangeg yn rhugl, ac yn hwyrach yn ei fywyd, cyn i fy chwaer a minnau fod yn ddigon hen i fynychu'r ysgol ramadeg, byddai'n rhoi gwersi Ffrangeg i ni ac yn dangos mapiau o Ffrainc, gan adrodd hanesion Jeanne d'Arc a'r Chwyldro Ffrengig. Byddai hefyd yn adrodd straeon fel *The Hunchback of Notre Dame* a *Les Misérables* Victor Hugo yn ogystal â phob math o straeon am ei anturiaethau ef ei hun fel milwr yn Ffrainc. Does dim rhyfedd i mi ddewis Ffrangeg fel fy mhwnc gradd pan ddaeth yr amser i mi fynd i'r brifysgol.

Auntie Olive a'r *Lusitania*

Rhaid i mi ddychwelyd yn awr at Olive, y chwaer 25 oed a adawyd yng Nghanada pan ddychwelodd fy nhad i Brydain yn 1914. Roedd Olive wedi bwriadu dychwelyd i

Loegr cyn y Nadolig y flwyddyn honno, ond oherwydd y rhyfel methodd gael lle ar long. Yn y diwedd llwyddodd i gael caban ar y *Lusitania* a oedd yn gadael Efrog Newydd am Lerpwl ar 1 Mai 1915.

Er bod yr Unol Daleithiau yn niwtral ar ddechrau'r rhyfel, roedd yr Almaenwyr wedi rhoi rhybudd yn y wasg Americanaidd y byddai hawl gan longau tanfor yr Almaen fygwth y llong Brydeinig *Lusitania* unwaith y byddai hi'n cyrraedd y parth rhyfel o gwmpas Ynysoedd Prydain. Serch hynny, doedd neb yn rhoi fawr o goel ar y rhybudd gan eu bod yn credu bod y *Lusitania* yn symud yn rhy gyflym i unrhyw long danfor ac nad oedd modd ei suddo hi beth bynnag.

Roedd y môr yn dawel iawn yn ystod y fordaith, roedd y tywydd yn braf, a phawb yn mwynhau eu hunain tan y diwrnod olaf. Roedd y llong i gyrraedd Lerpwl yn yr hwyr ar 7 Mai. Tua dau o'r gloch y diwrnod hwnnw, a'r *Lusitania* yn mynd heibio i dde Iwerddon, tua 13 milltir i'r de o oleudy Kinsail, roedd Olive a rhai o'r bobl roedd hi wedi dod yn ffrindiau â nhw ar y llong yn dal i eistedd wrth y bwrdd cinio yn yr ystafell fwyta ail ddosbarth. Roeddynt yn siarad ac yn chwerthin ac yn trafod holl fygythiadau gwag yr Almaenwyr i ymosod ar y llong. Yn sydyn clywsant ergyd ddychrynllyd oddi tanynt. Gwyddai'r teithwyr beth a oedd wedi digwydd yn syth. Cododd pawb, bron, a rhuthro am ddrws yr ystafell fwyta a oedd ar un o loriau isaf y llong.

Cofiodd Olive iddi gael ei dysgu cyn hynny i beidio â rhuthro mewn panig pe bai rhywbeth yn digwydd, a phenderfynodd aros ar ôl am ychydig nes i'r ystafell glirio. Wedyn dechreuodd wneud ei ffordd tuag at y drws. Ceisiodd gwraig arall ei rhwystro gan ddweud, 'Stay here, dear, everything's in God's hands. If he intends us to be saved he will do so. Let's kneel together and pray'. Ond atebodd Olive, 'I'm not going to waste time praying, I'm getting out of here!' a mynd am y drws.

Bu raid iddi ddringo chwe set o risiau i gyrraedd dec a oedd uwchlaw'r dŵr, ac erbyn iddi gyrraedd yno roedd blaen y llong wedi dechrau suddo'n isel i'r dŵr. Roedd y llong yn pwyso i un ochr hefyd fel roedd hi'n amhosibl gollwng y cychod achub i'r dŵr yn iawn. Gwelodd Olive un cwch a rhyw 70 o bobl ynddo yn troi drosodd a phawb yn cael eu taflu i'r môr. Llwyddodd i ddringo yn bryderus i gwch achub arall, ond danfonwyd hi a'r bobl eraill a oedd ynddo allan ohono gan un o swyddogion y llong a waeddai nad oedd modd i'r cwch gael ei ollwng i'r dŵr yn saff.

Doedd dim siaced achub gan Olive, a phenderfynodd mai'r peth gorau i'w wneud fyddai mynd i chwilio am un. Aeth i mewn i'r llong i chwilio yn yr ystafelloedd gwely gwag. Ond roedd hynny'n anodd gan fod y llong ar osgo a'r coridorau mewn tywyllwch. Trwy lwc gwelodd un o stiwardiaid y llong ar y coridor, a gofynnodd iddo, 'Where can I get a life jacket?' Atebodd ef, 'Take mine', ac fe'i helpodd i wisgo'r siaced achub. Meddyliodd Olive yn ddiweddarach tybed a oedd y dyn ifanc hwnnw wedi aberthu ei fywyd ei hun drosti.

Aeth allan unwaith eto a dringo i ddec uchaf y *Lusitania,* ond roedd y llong fwyfwy ar osgo erbyn hyn a phob math o ddarnau ohoni'n cael eu taflu ar ben y bobl a oedd ar y dec. Y peth olaf a welodd Olive oedd dyn anabl yn ceisio cerdded ar ei ffyn baglau. Wedyn fe suddodd y llong i lawr ac i lawr nes taro yn erbyn banc tywod ar waelod y môr. Cafodd Olive ei sugno i lawr gyda'r llong, a hithau'n anymwybodol.

Pan ddaeth ati ei hun roedd hi'n arnofio yn ei siaced achub, a'i phen uwchlaw wyneb y dŵr. Doedd hi erioed wedi dysgu nofio, ond gwelodd un o gychod achub y llong wyneb i waered wrth ei hymyl a dyn ifanc a gwallt coch ganddo yn eistedd ar ei gefn. Llwyddodd Olive i gyrraedd y cwch a chydio ynddo. Tynnodd y dyn ifanc hi ar gefn y cwch. Mae'n amlwg ei fod yn ddyn cryf gan iddo lwyddo hefyd i dynnu nifer o bobl eraill o'r dŵr yn eu dillad trwm a gwlyb, ond roedd llawer o bobl eraill nad oedd modd eu hachub. Roedd y môr yn llawn o ddarnau'r llong wedi'u malu, a phobl ym mhob cyfeiriad yn gweiddi am gymorth. Roeddynt hefyd yn gallu gweld cyrff meirw ym mhobman ar wyneb y dŵr, gwragedd a phlant ac un cwpl dal ym mreichiau ei gilydd, er bod y ddau wedi marw.

Olive oedd yr unig ferch ar gefn y cwch, ond ymhen tipyn daeth rafft achub heibio ac fe'u trosglwyddwyd i hwnnw. Aeth y rafft o amgylch am ryw 20 munud arall yn ceisio codi pobl o'r môr, ac yn y diwedd roedd 34 ohonynt ar y rafft. Tair ohonynt yn unig a oedd yn ferched. Yn anffodus, roedd y rhan fwyaf o'r merched eraill wedi cael eu rhwystro gan eu sgertiau trwm, ffriliog a'r peisiau hir oddi tanynt.

Wedi iddynt eistedd yn y rafft yn eu dillad gwlyb am ryw dair awr a hanner arall, daeth llong fach o'r llynges atynt a'u cymryd ar ei bwrdd. Rhoddwyd dillad sych iddynt. Ond gan nad oedd dillad merched ganddynt, bu raid i Olive wisgo siwt morwr, a phawb yn ei galw hi'n 'Captain'.

Daethant i borthladd Queenstown yn ne

Iwerddon am hanner awr wedi deg y nos, dros wyth awr ar ôl i'r *Lusitania* gael ei tharo gan y torpedo. Rhoddwyd lloches iddynt yng Ngwesty'r Queen. Roedd merched caredig y dref wedi casglu crysau isaf a chobanau iddynt eu gwisgo yn y gwely ond, yn ôl fy modryb, roedd y dillad hyn wedi'u gwneud o wlân garw Gwyddelig a oedd yn eu cosi a'u crafu drwy'r nos. Y bore wedyn cafodd pob un a oedd wedi'u hachub set o ddillad o siop yn y dre, a chwmni Cunard Line yn talu amdanynt.

Nid oedd Olive fawr gwaeth ar ôl ei phrofiad, er ei bod wedi brifo un o'i fferau ac yn cael ychydig o drafferth cerdded. Dywedai yn gyson ei bod hi'n ddyledus i'r ddau ddyn ifanc dewr a achubodd ei bywyd, y naill a roddodd siaced achub iddi, a'r llall a gwallt coch ganddo a'i tynnodd hi o'r môr.

Plentyndod Cynnar

PAN DDAETH FY nhad yn ôl o Ffrainc ar ôl y Rhyfel Byd Cyntaf, fe'i hanfonwyd i ymuno ag aelodau eraill o'i gatrawd yn Iwerddon. Y tro hwn cafodd fy mam fynd gydag ef ac, ar ôl peth amser yn ardal Tipperary, danfonwyd hwy i'r gogledd. Dwi'n cofio iddynt sôn am sawl peth cyffrous a ddigwyddodd iddynt yno. Un tro, wrth i'r ddau gerdded adref fin nos, a'm tad yn ei lifrai milwr, fe'u daliwyd gan yr IRA, ond, ar ôl eu holi am beth amser, fe'u gadawyd yn rhydd.

Erbyn 1922 roedd fy rhieni yn byw mewn annedd i gyplau priod yn y Castle Barracks yn Enniskillen, tref, fel mae'r enw yn ei awgrymu, ar ynys, a hynny rhwng Lough Erne Uchaf a Lough Erne Isaf. Arferai'r milwyr a'u gwragedd fynd allan mewn cychod rhwyfo ar y loch enfawr. Roedd hwnnw'n gallu bod yn lle peryglus weithiau pan oedd y gwynt yn codi neu os oedd y gwyddau gwyllt yn disgyn ac yn ymosod ar y bobl yn y cychod, rhywbeth a fyddai'n digwydd yn lled aml. Cofiaf fy nhad yn sôn am hanes milwr ifanc 20 oed, *bugle boy* o'r enw Francis Wilsdom, a foddodd yn y llyn. Dyletswydd fy nhad, a oedd erbyn hynny wedi'i ddyrchafu yn Orderly Room Quarter Master Sergeant, oedd trefnu ei angladd ym mynwent y dref ac arwyddo'r dogfennau priodol. Ychydig a wyddai fy nhad ar y pryd y byddai'n trefnu angladd ei fab ei hun yn yr un fynwent o fewn yr wythnos, gan i fy rhieni golli eu plentyn cyntaf ar ei enedigaeth.

Wrth deithio yn Iwerddon, ryw 70 o flynyddoedd wedi hynny, mi euthum i a Geraint i Enniskillen i chwilio am fedd fy mrawd. Gan nad oeddwn yn gwybod yn union lle roedd wedi ei gladdu, euthum yn gyntaf i neuadd y dref. Daeth y swyddog y tu ôl i'r ddesg â rhyw hen lyfrau mawr llychlyd ataf, a gofyn, 'Was he a Protestant or a Catholic?' Pan atebais i, 'Neither', fe ddywedodd, 'He must be either one or the other, he can't be nothing!', ond pan ddaeth o hyd i enw fy mrawd yn un o'r llyfrau ac edrych o dan y penawd *religion*, roedd bwlch gwag wedi'i adael yn y golofn. Sylwais fod y cofnod am fy mrawd yn dilyn yn syth ar ôl y cofnod am y *bugle boy* ifanc, a bod llofnod fy nhad wrth y ddau.

Cawsom rif bedd fy mrawd a dod o hyd iddo ym mynwent y dre o dan res o goed mewn cornel tawel a oedd wedi'i neilltuo'n arbennig ar gyfer babanod newydd-anedig.

Tra oeddem yn y fynwent, euthum i chwilio am fedd y *bugle boy* ifanc hefyd er mwyn talu teyrnged iddo yntau.

Yn 1924 pan oedd fy rhieni yn byw yn Holywood Barracks, County Down, ganed fy chwaer, Desrenée. Dyfeisiodd fy nhad ei henw o ddau enw Ffrangeg, Desirée a Renée. Ond fel 'Ronnie' y cawsai ei hadnabod pan oedd hi'n fach, a 'Ron' yn ddiweddarach.

Erbyn 1925, roedd fy nhad wedi cyflawni 21 mlynedd yn y fyddin, a phenderfynodd adael a chymryd y cyfrandaliad a'r pensiwn bychan y cynigiwyd iddo, er nad oedd yn ddigon ar gyfer byw. Barnodd mai'r peth gorau i'w wneud fyddai mynd yn ôl i Norfolk, Lloegr, y sir lle ganed ef. Prynodd fy rhieni (ar forgais) dŷ yn Ormesby St Margaret, yn ymyl Great Yarmouth. Roedd tŷ bychan arall, a rentid gan wraig weddw, ynghlwm wrtho ac yn rhan o'r arwerthiant, a, gerllaw hefyd, roedd siop bren y bwriadai fy nhad ei rhedeg fel siop gyffredinol tra oedd fy mam yn cymryd ymwelwyr ar gyfer gwely a brecwast.

Cefais i fy ngeni ar 23 Ebrill 1926. Pan welodd fi am y tro cyntaf, y geiriau cyntaf a ddywedodd fy nhad oedd, 'She isn't a patch on our Ronnie!' Adroddwyd y stori hon wrthyf sawl gwaith yn ystod fy mhlentyndod. A, deuthum i sylweddoli, wrth fynd yn hŷn, fod fy rhieni wastad yn ystyried fy chwaer yn gryfach, a hefyd yn brydferthach ac yn glyfrach na mi, er eu bod yn fy ngharu innau yn fawr iawn hefyd. Fy chwaer a ddewisodd fy enw, Zonia, enw cwch ar y Broads gerllaw. Rhoddwyd fy ail enw, Margarita, arnaf gan fod Mam wedi dwlu ar arwres o'r un enw yn yr opera *Faust,* yr aeth fy rhieni i'w gweld.

Un bore, pan oeddwn i tua chwe mis oed, roedd fy mam yn fy ngharïo i lawr y grisiau a chwpan wag yn ei llaw arall. Trodd i roi sylw i fy chwaer a oedd yn ei dilyn hi, rhoddais innau blwc sydyn, a chollodd fy mam ei balans a syrthio i waelod y grisiau, a minnau gyda hi!

Torrodd y gwpan yn ddarnau ac aeth un darn i mewn i'm gwddf y tu ôl i'm clust, ac roedd y gwaed yn llifo. Rhuthrodd fy nhad ar ei feic modur i nôl y meddyg – doedd gan neb deleffon bryd hynny – ac fe glipiodd y meddyg yr hollt ac achub fy mywyd. Dyna pryd, mae'n debyg, y dywedais fy ngair cyntaf, 'Mama'. Mae'r graith gennyf o hyd y tu ôl i'm clust.

Breuddwyd ofer fu cynlluniau fy rhieni i ennill bywoliaeth drwy gadw siop a rhedeg gwely a brecwast. Un cwpl yn unig a ddaeth i holi am lety, a chan nad oedd iechyd fy mam yn dda, a chanddi ddau blentyn bach i ofalu amdanynt, teimlodd nad oedd hi'n gallu ymdopi, a bu raid eu gwrthod; nifer fach o bobl a ddaeth i wario yn siop fy nhad; ac nid oedd gan y weddw ddrws nesaf ddigon o arian i dalu'i rhent. Rhoddodd ornament tsieina i fy rhieni yn gyfnewid amdano. Mae'r ornament gennyf i o hyd.

Methodd fy nhad â thalu ei forgais a danfonodd y gymdeithas adeiladu'r beilïaid atom i feddiannu'r tŷ a'r holl ddodrefn. Yr unig beth a lwyddodd fy nhad i'w guddio oddi wrthynt oedd ei feic modur a'r *sidecar*. Doedd dim dewis gennym ond teithio ar hwnnw i Swydd Efrog a mynd i fyw am sbel gyda Grandma North yn Heckmondwike ac yna gyda Grandad a Grandma Beaumont yn Gomersal. Tua blwydd a hanner oeddwn i ar y pryd, ac un o'm hatgofion cyntaf yw teithio yn y *sidecar* hwnnw, yn eistedd ar lin fy mam, gyda fy chwaer, Ronnie, yn eistedd y tu ôl i ni.

Cyn hir cafodd fy rhieni'r cyfle i rentu siop fach i werthu fferins, bisgedi, llefrith, a phethau tebyg yng nghanol Heckmondwike. Mewn cegin fach dywyll y tu ôl i'r siop y buom yn byw. Roedd dwy ystafell wely i fyny'r grisiau, ond cafodd Ronnie a minnau rybudd i gadw o un ohonynt gan fod y wal o dan y ffenestr yn gwyro allan i'r stryd ac mewn perygl o ddymchwel.

Pan oeddwn i'n dair oed cefais niwmonia.

Dwi dal i gofio gorwedd ar y soffa yn y gegin, a phoen yn fy nghefn, a'r meddyg yn dod a chodi fy nghoban er mwyn rhoi stethosgop ar fy nghefn. Yr unig beth a oedd yn fy mhoeni i oedd yr ofn bod y meddyg yn gallu gweld fy mhen ôl! Dywedodd wrth fy rhieni nad oedd ein hamodau byw yn iach iawn ac y dylent geisio symud i le arall. Doedd dim plant gan y meddyg a'i wraig ac roeddynt yn awyddus iawn i fabwysiadu naill ai Ronnie neu finnau, ond, wrth gwrs, doedd ein rhieni ddim am gytuno i hynny.

Roedd sgwâr eang tref Heckmondwike, lle cynhelid marchnad ddydd Mawrth a dydd Sadwrn, ar ffurf triongl a thŵr cloc-ffynnon yn y canol. Roedd llawr y sgwâr wedi'i balmantu â blociau pren yn hytrach na cherrig, ac roedd hynny'n unigryw. Dwi'n cofio'r blociau pren i gyd yn cael eu codi ryw ddeng mlynedd yn ddiweddarach ac i fy nhad brynu rhai ohonynt i'w llosgi ar y tân.

Adeg y Sulgwyn byddai plant ac oedolion y gwahanol ysgolion Sul, bob un ohonynt yn eu dillad newydd, yn gorymdeithio o'r capeli yn cario baneri mawr wedi'u brodio'n lliwgar ac enwau'r capeli a'r eglwysi arnynt, cyn casglu ar y sgwâr i ganu emynau. Er nad oeddem ni'n perthyn i unrhyw gapel neu eglwys, byddai Mam yn mynd â ni fel rhan o'r dorf i weld yr orymdaith yn mynd heibio. Y Catholigion oedd y mwyaf diddorol, gan fod y merched i gyd wedi'u gwisgo'n bert mewn ffrogiau llaes, gwyn, addurnedig a choronigau neu addurniadau eraill ar eu gwallt. Byddai rhai ohonynt yn eistedd mewn lori, neu'n cael eu tynnu mewn cert, yn union fel brenhines mis Mai a'i gosgordd yng Ngharnifal Gomersal. Wrth basio heibio byddai'r Catholigion yn canu'r un emyn o hyd, sef 'E'en for our Father's holy faith, we will be true to thee till death'. Dwi'n dal i gofio'r geiriau, er nad oedd gennyf yr un syniad beth oedd eu hystyr. Cyn mynd i'r ysgol Sul yn y bore, byddai'n arferiad i blant fynd o gwmpas yn dangos eu dillad newydd ar gyfer y Sulgwyn i'w ffrindiau a'u perthnasau, a chael efallai geiniog neu ddwy yn eu pocedi hefyd.

Yn ystod y ddwy flynedd a hanner y buom yn byw yn y siop, doedd dim llawer o arian gan Mam i brynu dillad drud i ni adeg y Sulgwyn, ond byddai hi'n gwneud ffrogiau i ni ar ryw hen beiriant gwnïo. Doedd hi byth yn defnyddio patrwm. Byddai'n plygu hyd o ddefnydd yn ei hanner a'i ddal wrth ein hysgwyddau i fesur y maint ac yna ei dorri yn siâp T, a chorff y ffrog a'i llewys i gyd yn un. Wedyn torrai dwll hirgrwn ar gyfer y pen. Roedd modd prynu beth roeddem yn eu galw yn *ffents* (sef darnau a oedd yn weddill o roliau o ddefnydd) yn rhad yn y farchnad, ac roedd siop fach yn Dewsbury lle roedd modd prynu pob math o les, rhubanau, a blodau bach artiffisial er mwyn codi safon y ffrog. Mam a fyddai'n gwau ein sanau hefyd.

Er bod gofyn bod yn ofalus gydag arian, pan fyddai'r ffair yn dod i Heckmondwike ryw unwaith y flwyddyn byddai Dad yn mynd â ni yno i gael tro ar y *roundabouts* ac i brynu doliau bach seliwloid wedi'u gwisgo mewn ffrogiau pert o bapur crêp lliwgar wedi'u haddurno â thinsel. Ond roedd yr injans stêm a oedd yn gyrru'r ceffylau bach yn fy nychryn, a'r sŵn roeddynt yn ei wneud wrth golli'r stêm yn sydyn yn gwneud i mi grynu y tu mewn a chydio'n dynn yn llaw fy nhad.

Weithiau, byddai syrcas yn dod i'r dref. Dwi'n cofio bod yn ofnus iawn o'r eliffantod ac yn meddwl bod un ohonynt yn mynd i ddisgyn arnaf wrth iddo geisio eistedd ar ddrwm a oedd yn agos iawn at ochr y cylch lle roeddem ni. Bob blwyddyn, codwyd coeden Nadolig anferth yng nghanol Heckmondwike, a byddai te parti mawr yn cael ei gynnal yn neuadd y Co-op ar gyfer holl blant y dref, gyda chonsuriwr i'n diddori, a phob plentyn yn cael anrheg gan Siôn Corn.

Ond un o'r pethau mwyaf cyffrous i ni'r plant oedd goleuadau Nadolig Heckmondwike a oedd yn syfrdanol. Roeddynt yn enwog drwy ogledd Lloegr, a byddai llond bysiau a threnau o bobl yn teithio i'r dref i'w gweld. Heblaw'r pethau Nadoligaidd arferol, byddai pob math o flodau, plu, coronau, tylwyth teg, peunod, anifeiliaid, clowns yn jyglo a chathod yn paffio, yn cael eu portreadu. Roedd y stondinau ar sgwâr y farchnad hefyd ar agor fin nos, ac yn gwerthu pob math o nwyddau. Byddai goleuadau fel plethdorchau rhwng y stondinau, a band Byddin yr Iachawdwriaeth yn canu carolau yn y cefndir. I blentyn, roedd yr holl awyrgylch yn hud a lledrith llwyr. Deallaf mai Heckmondwike (yn 1885) oedd y dref gyntaf yn Lloegr i gael goleuadau Nadolig ac i awdurdodau Blackpool, a oedd am ei hefelychu, ddanfon dirprwyaeth i Heckmondwike rai blynyddoedd yn ddiweddarach i ddysgu sut i fynd ati.

Gyferbyn â'n siop ni, roedd sinema'r Pavilion. Byddai Mam wrth ei bodd yn mynd yno fin nos, ac yn mynd â Ronnie a minnau gyda hi weithiau os oedd ffilm addas, fel rhai Charlie Chaplin, neu gartŵn, fel 'Felix the Cat', yn cael eu dangos. Wrth gwrs, ffilmiau mud oeddynt bryd hynny. Dwi'n cofio'r *talkie* cyntaf yn dod i Heckmondwike. *Sunny Side*

Up oedd enw'r ffilm, a'r actorion oedd Janet Gaynor a Charles Farrel. Aeth Mam i weld y ffilm un noson a chael ei bod hi mor wyrthiol fel ei bod hi wedi mynnu mynd i'w gweld eto'r noson ganlynol, a mynd â Dad, Ronnie a minnau gyda hi. Dros 80 o flynyddoedd yn ddiweddarach, dwi dal i gofio miwsig a geiriau rhai o'r caneuon ynddi, fel, 'If I had a talking picture of you', a 'Keep your sunny side up'.

Ar brynhawn Sul pan fyddai'r siop ar gau ac, os oedd hi'n braf, byddem yn mynd ar dram neu fws i ryw barc, coedwig neu atyniad arall yn yr ardal a chael picnic. Os nad oedd y tywydd yn caniatáu hynny, byddem yn ymweld â pherthnasau.

Mae un achlysur arbennig yn aros yn fy nghof pan oeddwn innau ryw dair oed a Ronnie ryw bump oed. Adeg y Sulgwyn ydoedd ac roeddem yn ymweld â Grandma North. Er mwyn mynd i'r 'tŷ bach' byddai raid i ni groesi iard gefn dywyll a llaith, a oedd bob amser wedi'i gorchuddio â mwsogl. Wrth i'm chwaer a minnau redeg yn ôl i'r tŷ, llithrodd Ronnie ar y mwsogl a chwympo, gan daro ei thalcen ar gornel stepen y drws. Roedd y ddwy ohonom yn sgrechian yn wyllt wrth i mi geisio ei chodi'n ofer, a gwaed ym mhobman. Rhedodd yr oedolion atom yn syth ac aeth fy nhad i nôl y meddyg a wnïodd y clwyf a chlymu rhwymyn o gwmpas pen fy chwaer. Ar ôl cyrraedd adref, bu raid torri ysgwydd y ffrog newydd roedd fy mam wedi'i gwneud iddi er mwyn ei chodi dros ei phen cyn rhoi Ronnie yn y gwely.

Tra oedd hi'n gorwedd yno, cafodd yr hyn y mae pobl heddiw yn ei alw'n brofiad allgorfforol. Disgrifiodd i mi yn ddiweddarach sut roedd hi wedi profi rhyw deimlad hyfryd o arnofio, fel petai hi'n llifo o'i chorff ac yn hedfan i gornel y nenfwd lle roedd hi'n gallu edrych arni ei hun yn gorwedd yn y gwely, a rhwymyn o gwmpas ei phen. Roedd hi'n teimlo'n berffaith heddychlon a hapus. Mae rhai pobl heddiw yn galw'r math hwn o brofiad yn *near death experience*, ond doedd Ronnie ddim yn agos at farwolaeth o gwbl, a doedd hi erioed wedi meddwl ei bod hi ychwaith.

Erbyn hynny roedd Ronnie wedi dechrau mynd i'r ysgol yn Heckmondwike Central Infants School, a phan oeddwn i'n bedair oed cynigiwyd lle i mi yno hefyd. Dau beth yn unig dwi'n eu cofio am yr ysgol, sef rhoi *beads* mawr, lliwgar, pren ar garrai esgid, rywbeth a ystyriwn yn ddibwrpas hyd yn oed bryd hynny. Y peth arall dwi'n ei gofio yw'r athrawes yn tynnu llun popty ar y bwrdd du ac yn dweud, 'Put your hands up if you know what that is'. Codais fy llaw, a phan ofynnodd i mi beth ydoedd, sibrydais yn swil, 'It's an oven'. Cefais fy nghanmol gan yr athrawes, ond roedd hi'n amlwg nad oedd hynny'n plesio rhai o'r merched eraill, a phan drodd yr athrawes yn ôl at y bwrdd du, dywedodd un ohonynt, 'Please, Miss. Zonia North's talking'. Trodd yr athrawes ati a dweud wrthi, 'Nonsense and fiddlesticks!', ymadrodd sydd wedi aros yn fy nghof hyd heddiw.

Wythnos yn unig yr arhosais yn yr ysgol honno. Doeddwn erioed wedi bod oddi cartref ar ben fy hun o'r blaen ac roeddwn i mor swil ac ofnus a dagreuol nes i Mam benderfynu fy nghadw gartref am ychydig fisoedd eto. Tua'r adeg honno, dwi'n cofio i mi benderfynu mai pedair oed oedd yr oed delfrydol; roeddwn yn fach ac yn annwyl ac roedd pawb yn fy ngharu; roeddwn yn ddigon hen i chwarae a darllen llyfrau ond doedd dim angen i mi fynd i'r ysgol. Gyda Ronnie yn yr ysgol doedd neb i fy mhoeni, ac roedd Mam yno drwy'r amser i roi sicrwydd i mi. Doedd dim eisiau tyfu'n hŷn arnaf; teimlais y buaswn yn hoffi aros yn bedair oed am byth. Daeth rhif pedwar yn hoff rif i mi ac mae hynny'n wir hyd heddiw.

Doedd fy nhad ddim yn ddyn busnes da iawn. Gadawai i bobl gael nwyddau ar gredyd, ac roedd cymaint o bobl mewn dyled iddo nes bod yntau'n methu talu ei ddyledion a bu raid i ni adael y siop. Roeddwn i'n bedair oed ar y pryd. Symudom i fyw i dŷ teras eithaf da, nid nepell o'r eglwys yn Sharpe Street, Heckmondwike.

Cyn hynny roedd fy nhad yn rhy hunanbarchus i fynd i'r Swyddfa Gyflogi i gofrestru fel rhywun di-waith, a gofyn am help. Ond, yn y diwedd fe'i perswadiwyd i fynd yno gan fy mam. Er mawr syndod i'm tad, yn dilyn ei ymweliad cyntaf a'r Swyddfa Gyflogi, cynigiwyd iddo, trwy lythyr, fynd i weithio i'r Swyddfa Gyflogi, gan ddechrau'r bore hwnnw. Ei gymwysterau da mewn cyfrifeg a'i waith blaenorol fel clerc yn y fyddin a oedd yn gyfrifol am y cynnig hwnnw.

Tua'r adeg honno, cawsom ein set radio gyntaf. Roeddwn eisoes wedi gwrando'r radio yn nhŷ chwaer fy mam. Roedd gan ei gŵr set radio *crystal* roedd yn rhaid i chi wrando arni drwy glustffonau er mwyn clywed 'the little man in the box'. Ond prynodd fy nhad radio go iawn wedi'i gysylltu â batri sych tua maint dwy fricsen ac *accumulator*, sef rhywbeth yn debyg i fatri car heddiw ond wedi'i wneud o wydr ac asid y tu mewn iddo. Rhaid oedd newid y rhain mewn siop o dro i dro. Y peth cyntaf i mi glywed erioed ar ein radio ni oedd llais gwan yn y pellter yn canu, 'Peanuts, peanuts'.

Ar ei ffordd adref o'r ysgol ar 5 Hydref 1930 daeth Ronnie o hyd i fathodyn ar y ddaear, sef swfenîr lliw arian o'r awyrlong, R101, a oedd wedi'i lansio ychydig cyn hynny gan lywodraeth Prydain. Yr union noson honno, clywsom ar y radio fod yr R101 wedi disgyn o'r awyr dros Ffrainc ac wedi mynd ar dân, gan ladd 58 o'r criw. Wyth dyn yn unig a lwyddodd i ddianc.

Pan oedd Ronnie yn agosáu at saith oed, symudodd o'r Central Infants School i Battye Street School, a phenderfynodd fy rhieni fy nanfon i gyda hi i adran y babanod yno. Ar y diwrnod cyntaf, dysgwyd i ni eistedd â'n breichiau wedi'u plethu o'n blaenau, er mwyn i ni beidio â bod yn aflonydd, ac i gadw un bys ar ein gwefusau weithiau er mwyn ein hatgoffa i beidio â siarad. Yn hwyrach yn y dydd cawsom yr hyn a alwai'r athrawes yn *sleepy time*, pan oedd disgwyl i ni roi ein pennau i lawr ar ein breichiau, a fyddai wedi'u plethu ar y bwrdd o'n blaenau, a mynd i gysgu.

Ar ôl beth a ymddangosai fel oes i mi, cawsom ein deffro gan yr athrawes. Wedyn, digwyddodd rhywbeth a ystyriwn yn rhyfedd iawn. Dywedodd wrthym am eistedd i fyny, cau ein llygaid eto a rhoi dwylaw at ei gilydd. Yna, dechreuodd lafarganu ryw eiriau rhyfedd, annealladwy, a'r rhan fwyaf o'r plant yn ymuno â hi: 'Our father, which art in heaven, hallowed be thy name. Thy kingdom come. Thy will be done on earth, as it is in heaven...' Agorais fy llygaid ac edrych arni mewn syndod. Roedd ei llygaid hithau ar gau wrth iddi barhau i adrodd y geiriau dieithr. Doedd gennyf ddim syniad beth roedd hi'n ei wneud nac yn ei ddweud.

Dwi'n cofio gofyn i fy nhad am eglurhad y noson honno. Dwi ddim yn cofio union eiriau ei ateb, ond y neges a gefais oedd fod rhai pobl yn credu pethau od am fodolaeth rhyw fod goruwchnaturiol roeddynt yn ei alw'n 'Father', rywle i fyny yn yr awyr mewn lle a alwyd yn 'heaven', ond nad oedd ein teulu ni yn credu'r fath beth, a ffordd o gyflyru meddyliau plant i dderbyn y syniadau di-sail hyn oedd cael y plant i gydweddïo yn y dosbarth.

Yn yr ysgol y diwrnod wedyn, ar ôl *sleepy time*, pan ddeffrodd yr athrawes y plant a dweud wrthynt, 'Hands together, eyes closed', cedwais fy mhen ar fy mreichiau ar y ddesg a chogio fy mod yn dal i gysgu. Dywedodd un bachgen, 'Please, Miss. Zonia North's still asleep', ac atebodd yr athrawes, 'Never mind, let her sleep'. A minnau'n bedair oed, dyna oedd fy ngwrthdrawiad cyntaf â chrefydd. Wrth gwrs doeddwn i ddim yn gallu esgus cysgu bob dydd. Ond os oedd llygaid yr athrawes ei hun ar gau, roedd synnwyr yn dweud wrthyf nad oedd hi'n gallu gweld beth roeddwn yn ei wneud. Felly penderfynais na fyddwn yn rhoi fy nwylo at ei gilydd, na chau fy llygaid nac adrodd y weddi.

Gan fy mod i eisoes yn gallu darllen a gwneud symiau, oherwydd i'm rhieni fy nysgu gartref, fe'm symudwyd ar ddechrau'r flwyddyn ysgol newydd i'r *first class*, sef dosbarth uchaf yr *infants*, gyda'r rhai a oedd yn chwech oed, yn lle fy symud i'r ail ddosbarth gyda'r plant a oedd yr un oed â mi, sef pump oed. Flynyddoedd wedyn, dyna sut y sefais yr arholiad *scholarship* yn ddeg oed, a mynd i'r brifysgol yn 17 oed.

Dwi'n digwydd bod yn un o'r bobl lwcus hynny sy'n gweld gwahanol lythrennau, geiriau a rhifnodau mewn gwahanol liwiau yn fy meddwl. Roeddwn yn arfer meddwl bod pawb yn gwneud hynny nes i mi sylweddoli, ar ôl blynyddoedd lawer, nad felly roedd hi. *Synaesthesia* yw'r enw arno heddiw. Dwi hefyd, wrth wrando'r radio, yn gweld cerddoriaeth mewn patrymau a lliwiau. Ond dwi ddim yn gweld unrhyw beth od yn y cyflwr. I'r gwrthwyneb, dwi'n teimlo bod pobl nad ydynt yn *synaesthetic* yn bobl dan anfantais.

Roeddwn i wrth fy modd yn nosbarth ucha'r *infants* ac, os caf ddweud, yn dipyn bach o *teacher's pet*. Amser chwarae, byddai'r athrawes yn fy nghario o gwmpas yr iard yn ei breichiau. Os oedd y tywydd yn oer iawn, byddai'n gadael i mi aros yn yr ystafell ddosbarth gyda hi, a'r ddwy ohonom yn cael paned o Oxo a bara menyn, yn hytrach na fy nanfon allan i'r iard i chwarae gyda'r plant eraill Wedyn, byddem yn torri'r crystiau a oedd ar ôl yn friwsion ac yn mynd â nhw allan i'r adar. Dwi'n cofio ei helpu i dacluso cypyrddau, a rhoddodd lyfr i mi gyda lluniau a straeon am gwningod bach. Ei hesgus am fy nhrin i yn wahanol i'r lleill oedd y ffaith fy mod i wedi cael niwmonia ddwy flynedd ynghynt, ond roeddwn i'n gwybod hefyd ei bod hi'n adnabod fy nhad pan oedd y ddau ohonynt yn ifanc.

Weithiau, gofynnwyd i mi ddysgu sŵn llythrennau'r wyddor i ambell blentyn mwy araf tra oedd yr athrawes yn dysgu gweddill y dosbarth. Llechi a ddefnyddiem i ysgrifennu arnynt, wrth gwrs, nid papur. Dwi'n cofio bod rhai o'r bechgyn tlawd yn arfer gwisgo clocsiau am eu traed yn lle esgidiau, ac roeddynt weithiau yn dod i'r ysgol â darn o glwt wedi'i binio ar flaen eu siwmperi i'w ddefnyddio fel cadach poced.

Doedd gennyf ddim ffrind arbennig ymysg y merched eraill, ond dwi'n cofio chwarae yn yr iard ar un diwrnod braf a bachgen yn dod ataf ac yn gofyn a fyddwn yn fodlon bod yn gariad iddo. Rhoddodd i mi dlws bach mosaig ar ffurf gitâr Sbaeneg. Mae'r tlws dal gennyf, dros 80 o flynyddoedd yn ddiweddarach, ond nid oes syniad gennyf beth oedd enw'r bachgen na sut olwg a oedd arno.

Nid nepell o ysgol Battye Street roedd ysgol Gatholig. Roedd hanes o wrthdaro rhwng disgyblion y ddwy ysgol, ac ar ddiwedd y dydd arferai athrawon ein hysgol ni adael i'r plant fynd adref bum munud yn gynnar er mwyn i ni gyrraedd adref cyn i'r Catholigion ddod allan.

Byddwn i'n cerdded i'r ysgol gyda Ronnie. Ar y ffordd adref un diwrnod, arweiniodd hi fi drwy gât mynwent yr eglwys a cheisio fy nychryn drwy fy ngadael yno. Dywedodd nad oeddwn i symud na cheisio ei dilyn adref nes i mi gau fy llygaid a rhifo i 100 yn araf. Erbyn hynny, byddai'r ardal i gyd wedi newid – y strydoedd, y tai, a'r holl ardal – ac ni fyddwn yn gwybod sut i fynd adref. Mae hi dal i gofio'r digwyddiad hefyd.

Mae hi'n cyfaddef hefyd iddi fy mhoeni am

flynyddoedd drwy'r hyn a elwir yn *low level bullying*. Eto roeddem yn treulio llawer o oriau hapus yng nghwmni ein gilydd. Roedd rhyw fath o berthynas caru-casáu rhyngom, fel sydd rhwng brodyr a chwiorydd mewn llawer o deuluoedd eraill, dwi'n siŵr.

Roedd Dad yn aelod o'r British Legion, a dwi'n cofio i ni fynd i wahanol weithgareddau cymdeithasol a chyngherddau a gynhaliwyd ganddynt yn neuadd y Co-op. I neuadd y Co-op hefyd yr arferem fynd i gyfarfodydd cyhoeddus y Blaid Lafur. Dwi'n cofio Etholiad Cyffredinol 1931, pan oeddwn yn bump oed, a phawb, yn cynnwys Ronnie a minnau, yn gwisgo rhosedau rhuban coch. Ymgeisydd Llafur ein hetholaeth ni oedd Cymro o'r enw Ivor Thomas ac arferai'r gynulleidfa ganu rhyw fath o anthem gyffrous i diwn yr orymdaith, 'Gwŷr Harlech'. Dyma'r pedair llinell olaf:

Rich men, poor men, married, spinster,
We'll send Thomas to Westminster.
He's the man we want to win, Sir!
Labour leads the way!

Roedd digon o ddiwylliant ar ein haelwyd. Weithiau, fin nos, byddai Dad a Mam yn canu deuawdau ar y clarinét a'r piano (er gwaethaf tlodi Mam pan oedd hi'n ifanc roedd ei hewythr wedi talu iddi gael gwersi piano). Prynodd Dad gyfres o *Children's Encyclopaedia* Arthur Mee i ni, a thair cyfrol o *The Worlds Greatest Paintings* y byddem yn treulio oriau yn pori ynddynt, yn ogystal â microsgop i astudio manylion byd natur. Weithiau, ar brynhawn Sul, byddem yn mynd i'r wlad am dro, a Dad yn dysgu enwau'r blodau a'r coed a'r adar i ni, neu'n mynd i barc i glywed band yn canu, a Ronnie a minnau'n dawnsio ar y gwair.

Ar fore Sadwrn, byddem yn mynychu dosbarth dawnsio. Cofiaf sut byddem yn rhwymo bysedd ein traed â thwffynau o wlân dafad cyn gwisgo sgidiau bale a cheisio dawnsio ar flaenau'n traed. Doli fechan y tylwyth teg oeddwn yn fy mherfformiad cyhoeddus cyntaf, un o grŵp o wahanol fathau o ddoliau mewn siop deganau a oedd yn deffro ac yn dawnsio yn ystod y nos. Er mwyn chwarae'r rhan honno, roeddwn yn ffodus o gael gwisgo twtw bach, gwyn, breuddwydiol o brydferth. Ond doeddwn i byth yn hapus yn gwneud unrhyw beth o flaen cynulleidfa ac, un noson, roedd cymaint o ofn bod ar lwyfan arnaf, fel fy mod i yn fy nagrau ac yn methu perfformio gyda'r lleill. Un diwrnod, wrth geisio dawnsio yn ei hesgidiau bale, trodd Ronnie ei ffêr ac fe chwyddodd yn ddrwg.

Penderfynodd Mam na chawn fynd i'r gwersi wedi hynny.

Serch hynny, flwyddyn neu ddwy yn ddiweddarach, ymunodd y ddwy ohonom â dosbarth dawnsio arall, a dwi'n cofio cymryd rhan yn dawnsio fel un o'r *moon fays* yn yr operetta, *Our Miss Gibbs*. Ac yna, rai blynyddoedd wedyn pan oedd Fred Astaire a Ginger Rogers a Shirley Temple yn eu hanterth, mynnais gael gwersi dawnsio tap.

Yn y tŷ byddai Ronnie a minnau yn dawnsio i gerddoriaeth bale ar hen gramoffon roedd Grandad Beaumont wedi'i rhoi i ni, gan gynllunio ein coreograffi ein hunain yn fanwl. Fy uchelgais am flynyddoedd oedd bod yn falerina, ond mae'n debyg na fyddwn i byth wedi gallu magu'r stamina angenrheidiol. Ond hyd yn oed yn awr, a minnau'n hen wraig, pan fydd neb yn edrych, dwi'n hoffi dawnsio o gwmpas y lolfa i sŵn cerddoriaeth. Dyna fy ffordd o geisio cadw'n heini, er nad yw'r crydcymalau yn llawer o help y dyddiau yma!

Y Swyddfa Bost

PAN OEDDWN YN chwech oed cafodd fy nhad swydd newydd fel postfeistr yn Liversedge, ryw ddwy filltir o Heckmondwike, a symudom ni yno i fyw. Yn ôl yr arbenigwyr, cafodd Liversedge ei enw o'r uchelwr Normanaidd Robert de Liversec. Er hynny, gan mai casgliad o bentrefi bychain a melinau ar lan afon Spen (Spen Beck) yw'r drefgordd honno, mewn gwirionedd, a bod y llythrennau *L* ac *R* mor agos at ei gilydd yn ieithyddol, mae gennyf deimlad mai llygriad o'r geiriau *river's edge* yw'r enw Liversedge. Yn yr un modd dwi'n teimlo bod a wnelo Liverpool rywbeth â'r *river pool* lle bu dociau'r dref honno yn datblygu.

Unwaith eto roeddem yn byw mewn tŷ un-ystafell â sinc cegin ynddi y tu ôl i'r swyddfa bost, gyda dwy ystafell wely i fyny'r llofft. Roedd un ohonynt yn eithaf mawr, felly roedd lle ynddi i ddau wely sengl Ronnie a minnau, a hefyd i'r soffa a'r ddwy gadair freichiau a oedd yn lolfa ein tŷ blaenorol. Trwy gydol fy ieuenctid, ni fu gennym erioed y fath bethau â wardrob na bwrdd gwisgo.

I ymolchi, defnyddiem fàth tun o flaen tân y gegin, fel y rhan fwyaf o deuluoedd bryd hynny. Er mwyn mynd i'r tŷ bach, a rennid gyda theuluoedd eraill, byddai raid cerdded ar hyd y stryd, heibio i ambell dŷ teras, mynd trwy dwnnel i ochr arall y tai a oedd gefn-wrth-gefn a chroesi iard bridd. Doedd neb yn defnyddio rholyn papur toiled, wrth gwrs, dim ond papur newydd wedi'i dorri yn sgwariau. Roedd y *Radio Times* yn feddalach na'r papurau eraill.

A dweud y gwir, ni fyddem ni na'n cymdogion byth yn meddwl gwastraffu arian ar brynu pethau fel clytiau llwch, cadachau ymolchi, cadachau golchi llestri a'r llawr, neu hyd yn oed gadachau misglwyf. Darnau o hen grysau isaf neu drôns a ddefnyddid at y pwrpasau hyn, a'u golchi nhw dro ar ôl tro i'w defnyddio eto.

Yn yr un bloc â'r tai bach roedd nifer o dai golchi, ond, bob dydd Llun, yn hytrach na chario'r holl ddillad budr yno a'r holl ddillad gwlyb, trwm yn ôl, byddai Mam, fel y rhan fwyaf o'n cymdogion, yn eu golchi i gyd yn sinc y gegin, a hynny â llaw. Yr unig ffordd i gael dŵr poeth oedd i'w berwi mewn tegell ar y tân. Doedd dim trydan yn y tŷ, ond roedd gennym olau nwy.

Doedd dim byd yn cael ei wastraffu. Torrwyd hen gotiau a throwsusau'n stribedi hir cyn torri'r stribedi hynny ar draws ar ongl i wneud darnau bach a phig arnynt a enwyd yn *lists*. Defnyddid y rhain i wneud rwg gan eu gwthio drwy ddarn o gynfas ar ffrâm gyda help hen beg wedi'i naddu i bwynt i wneud *brodder*. Rhoddid unrhyw garpiau a oedd ar ôl i'r hen *rag and bone man* a ddeuai o gwmpas i'w casglu. Byddai'r *nettle man* yn arfer dod hefyd, yn gwerthu danadl poethion i wneud cawl. Unwaith yr wythnos byddai'r gwerthwr ffrwythau a llysiau yn dod i bob stryd gyda'i gert mawr a'i geffyl. Ond byddai hwnnw a'r arwerthwyr eraill, fel dyn y lori lo, yn ofalus i osgoi dod ar ddydd Llun pan fyddai rhesi o leiniau o ddillad yn ymestyn ar draws y stryd o bob tŷ. Stryd bridd oedd ein stryd ni, fel y rhan fwyaf o'r strydoedd yn Liversedge.

Ysgol yr Eglwys oedd yr un agosaf at Swyddfa Bost Liversedge, ond doedd Dad ddim yn fodlon i ni gael ein cyflyru yn yr ysgol honno felly, ar ôl aros yn yr ysgol yn Heckmondwike am ychydig wythnosau, trefnwyd i ni fynd i ysgol arall yn Liversedge, sef Millbridge Upper School.

Doeddwn i ddim mor hapus yno ag yr oeddwn i yn yr ysgol yn Heckmondwike, oherwydd swildod, efallai, a chan nad oeddwn yn adnabod neb yn y dosbarth, a doeddwn i ddim bellach yn *teacher's pet*.

Hefyd, yn wahanol i mi, roedd y plant yn fy nosbarth eisoes wedi dysgu ysgrifennu'n sownd. Roeddwn i'n teimlo'n ofnus hefyd amser chwarae, yn ofni croesi'r iard rhag i mi gael fy nharo i lawr gan fechgyn mawr a oedd yn rhuthro ar hyd y lle wrth gicio pêl-droed, rhywbeth a ddigwyddodd i mi fwy nag unwaith. Yn y diwedd dysgais i lynu wrth wal yr ysgol a cherdded rownd dwy ochr yr iard yn hytrach na cheisio ei chroesi.

Un peth da dwi'n ei gofio am yr ysgol oedd yr arfer o chwarae darn o gerddoriaeth glasurol boblogaidd yn y neuadd bob dydd Gwener o flaen yr ysgol gyfan, a'r plant yn gwrando'n dawel. Un diwrnod, pan oeddwn tua saith oed, dwi'n cofio i'r prifathro ofyn, ar ôl iddo chwarae record, 'Does anyone here know the name of that piece of music?' Codais fy llaw, yr unig blentyn i wneud hynny, a phan ofynnodd i mi, atebais, 'Mendelssohn's Spring Song', a chael canmoliaeth fawr ganddo. Am unwaith, teimlais mor falch ohonof fi fy hun.

Ar y llaw arall, os nad oeddwn wedi cael rhyw sym neu'i gilydd yn gywir yn y dosbarth, a'r athrawes yn dweud y drefn, neu rywbeth arall yn mynd o'i le, byddai dagrau yn llenwi fy llygaid a dechrau rhedeg i lawr fy ngruddiau. Roeddwn i'n gwybod, hyd yn oed bryd hynny, fy mod i'n or-sensitif ac yn gwneud ffŵl ohonof fi fy hun, ond po fwyaf y ceisiwn eu rhwystro, po fwyaf y byddai'r dagrau'n llifo. Mae'r gwendid hwn yn rhywbeth sydd wedi parhau drwy gydol fy oes. Ysgrifennodd ffrind i mi yng ngholeg Bangor stori fer am y peth yng nghylchgrawn myfyrwyr y coleg, ond galwodd y ferch yn y stori yn Ann Margarita, yn hytrach na Zonia Margarita.

Ond, a dychwelyd at fy nghyfnod fel disgybl yn ysgol Millbridge yn Liversedge. Cyn hir gwneuthum ambell ffrind yno. Roedd un ferch yn dod o deulu tlawd iawn a chanddi nifer fawr o frodyr a chwiorydd. Byddent yn dod i'n tŷ ni o bryd i'w gilydd i ofyn a oedd gennym unrhyw hen esgidiau a oedd wedi mynd yn rhy fach i Ronnie a minnau, yn enwedig adeg y Nadolig, gan ddweud nad oedd ganddynt unrhyw beth i'w gwisgo ar eu traed heblaw welingtons i fynd i barti Nadolig yr ysgol.

Roedd ffrind arall i mi yn aelod o'r Brownies. Roedd hi am i mi ymuno hefyd, ac euthum yno gyda hi. Roeddwn i wrth fy modd yno, yn chwarae gêmau, yn dysgu adnabod gwahanol fathau o goed a sut i wneud gwahanol glymau, tynnu lluniau, canu caneuon wrth eistedd mewn cylch, mynd allan i dracio, neu fynychu ralïau a chael picnic gyda grwpiau eraill o'r Brownies.

Roedd y Brownies yn gysylltiedig â chapel, un o gapeli'r Annibynwyr yn Heckmondwike, capel, fel mae'n digwydd lle roedd rhai o gyndadau fy nhad wedi bod yn aelodau ac wedi'u claddu yn y fynwent. Byddai disgwyl i ni fynd i'r ysgol Sul yno, ac i orymdeithio yn ein hiwnifform y tu ôl i faneri yn y gwasanaeth bore Sul unwaith y mis a alwyd yn *church parade*.

Er mai anffyddwyr oedd Dad a Mam, ni wnaethant erioed geisio dylanwadu arnom i beidio â mynd i wahanol gapeli neu eglwysi gyda'n ffrindiau. Credent y dylai pawb gael rhyddid i benderfynu drosto'i hun, a'i bod hi'n rhan o'n haddysg i ddod i wybod sut roedd pobl eraill yn synio am y pethau hyn, ac i ddysgu bod gwahaniaethau cred yn bodoli yn y byd.

Dwi'n cofio teimlo braidd yn anesmwyth, hyd yn oed yn saith oed, ynglŷn â gorfod cymryd llw'r Brownies: 'I promise to do my best to do my duty to God and the king; to help other people every day, especially those at home'. Doedd yr ail ran ddim yn peri unrhyw drafferth i mi, wrth gwrs, ond sut roeddwn yn gallu gwneud fy nyletswydd i dduw nad oedd yn bodoli? Doeddwn i ddim yn sicr beth oedd fy nyletswydd i'r brenin ychwaith, gan ein bod ni ymhell o fod yn frenhinwyr. Ond penderfynais gymryd y llw er mwyn parhau yn y Brownies, gan ddarbwyllo fy hun mai lol oedd rhan gyntaf y frawddeg, yn yr un categori â geiriau rhai o'r caneuon dwli roeddem yn eu cydganu yn y Brownies.

Anaml iawn byddai fy nhad yn sôn am grefydd pan oeddem yn fach, ond dwi'n cofio iddo gyfeirio unwaith at straeon y Beibl fel metafforau. Wrth fynd yn hŷn a chlywed am rai o'r 'gwyrthiau' yn y Testament Newydd, roedd edrych arnynt fel alegorïau yn gwneud llawer mwy o synnwyr i mi nag edrych arnynt fel hanesion ffeithiol. Meddyliwch am stori porthi'r pum mil, onid oedd y pum torth a'r ddau bysgodyn yn fwyd i'r meddwl yn hytrach nag yn fwyd go iawn? Ac onid oedd galluogi'r dall i weld hefyd yn fetaffor, fel y goleuni a welodd Saul ar y ffordd i Ddamascus?

Cynhelid y Brownies mewn ystafell lai o faint y tu ôl i'r festri a oedd o dan y capel. Er mwyn mynd yno byddai'n rhaid i ni fynd lawr rhes fer o risiau wrth ochr y capel a chroesi cornel y fynwent, rhywbeth a oedd yn codi arswyd arnaf bob tro, yn enwedig os cyrhaeddwn yno ar ben fy hun yn y gaeaf tywyll. Wedyn, roedd raid croesi drwy'r festri nad oedd wedi'i goleuo i fynd i'r ystafell lle cynhelid cyfarfodydd y Brownies. Byddwn o hyd yn cysylltu crefydd â marwolaeth, ysbrydion, a phobl yn atgyfodi o'r meirw, pethau a oedd yn fy nychryn i. Serch hynny, roeddwn i'n hapus iawn yn y Brownies.

Gwaetha'r modd, doedd hynny ddim yn wir am y Millbridge Upper School. Roedd yr athrawon yno yn rhy barod i ddefnyddio'r gansen, a hynny am y nesaf peth i ddim. Roedd ofn dwy athrawes yn arbennig arnaf, Miss Higgins a Miss Cockle. Pan oeddwn yn nosbarth Miss Higgins, cefais innau, fel y plant eraill yn eu tro, fy nhynnu o flaen y dosbarth fwy nag unwaith i gael cansen ar fy llaw. Byddai dagrau yn fy llygaid wedyn am weddill y dydd, nid oherwydd y boen ond oherwydd bod yr athrawes wedi siarad yn gas wrthyf ac wedi fy ngwaradwyddo o flaen y plant eraill. Yn y diwedd penderfynodd fy nhad fy nhynnu o'r ysgol a'm danfon i adran ragbaratoawl i blant dan 11 oed a oedd yn rhan o Heckmondwike Grammar School. Dwi'n gwybod oddi wrth dudalen o hen ddyddiadur fy nhad i mi gychwyn yno ar 11 Medi 1934. Roeddwn yn wyth oed ar y pryd. A dwi'n cofio dweud wrth fy mam ar ôl y diwrnod cyntaf fod fy athrawes newydd, Miss Craven, 'Too nice to be a teacher, she ought to be a mammy'. Byddai Ronnie yn cael cansen gan Miss Cockle hefyd, ond doedd hi ddim mor sensitif â fi, a chan ei bod hi eisoes yn ddeg oed ac ar fin dechrau yn y dosbarth ysgoloriaeth, roedd hi'n fodlon aros yn Millbridge Upper am flwyddyn arall.

Dechreuodd Dad werthu deunyddiau yn cynnwys deunydd ysgrifennu, cardiau post, cardiau Nadolig yn rhan o'r swyddfa bost, yn ogystal â rhedeg llyfrgell fach i fenthyg nofelau. Roedd ei incwm felly yn codi, a dechreuom gael dillad wedi'u dylunio gan deiliwr lleol. Roedd cael eich dillad wedi'u dylunio gan deiliwr neu wniadwraig y pentre yn llawer mwy cyffredin, hyd yn oed ymysg y dosbarth gweithiol, nag ydyw heddiw.

Roedd Mam yn hoff o fynd hefyd at stondin ym marchnad Heckmondwike lle gwerthwyd dillad ail-law o safon uchel mewn *Dutch auction*. Roedd yr arwerthwr yn dipyn o gomedïwr a fyddai'n denu torf drwy sefyll ar y stondin a gweiddi pethau digri. Yno prynai Mam bob math o ddillad gwisg ffansi y byddai Ronnie a minnau yn eu gwisgo i ddawnsio neu i fynd i'r ddawns wisg ffansi a gynhelid yn Heckmondwike Grammar School bob blwyddyn.

Byddai gwraig weddw o'r enw Mrs Taylor yn dod i'r swyddfa bost i godi ei phensiwn. Roedd hi am symud i ffwrdd a gwerthu'r rhes o fythynnod lle roedd hi ac eraill yn byw, yn ogystal â bwthyn arall yn Liversedge roedd hi'n berchen arno. Cytunodd Dad eu prynu ganddi a'u gosod ar rent.

Roedd darn mawr o dir y tu ôl i'r eglwys gyda nifer o siediau arno hefyd yn rhan o'r gwerthiant; garej oedd un ohonynt, siéd i gadw ceffyl yn un arall, roedd un yn hen garafán sipsiwn, ac un yn dŷ gwydr gyda rhandir i dyfu llysiau a blodau, a ffens o'i gwmpas. Penderfynodd Dad gadw'r tir hwn at ein defnydd ni ein hunain, a byddai'n mynd yno ar y Sul i arddio.

Cafodd ysfa un flwyddyn i dyfu marchruddygl, blodau dahlia dro arall, a madarch mewn sied dywyll dro arall. Un penwythnos, gofynnwyd i ni ysgrifennu traethodyn ar fadarch ar gyfer ein gwaith cartref astudiaeth natur yn yr ysgol; cefais 20 marc allan o ddeg – deg am y traethawd a deg arall am fynd â sawl enghraifft enfawr o fadarch i'r ysgol.

Roedd ein teulu ni a'n ffrindiau bach yn y stryd yn galw'r bythynnod a'n tir y tu ôl i'r eglwys yn *t'prop* (*the property*). Yno, ar fore Sul, byddai clychau'r eglwys yn fyddarol ac ar ôl y gwasanaeth byddai bechgyn bach y côr yn casglu ar do'r tŵr, ac yn gweiddi ar Dad, gan alw enwau arno, megis *bald headed baboon*. Ond nid ar y Sul yn unig y byddai fy chwaer a minnau'n mynd i'r *prop*. Does dim angen i mi ddweud i ni dreulio oriau yno gyda'n ffrindiau, yn chwarae tŷ yn un o'r siediau, yn plannu blodau, yn casglu mafon cochion a mwyar Logan, a hyd yn oed yn cynnau tân ambell dro.

Daeth Ronnie a minnau o hyd i lwybr byr i fynd i'r *prop*, yn hytrach na cherdded yr holl ffordd o gwmpas yr eglwys ar hyd y ffyrdd. Rhedai'r llwybr ar hyd gwaelod llethr welltog y byddem yn llithro i lawr iddi ar gefn sled adeg eira. Un diwrnod yn yr haf, wrth fforio y tu ôl i ryw goed a oedd i'r chwith i'r llethr hon, darganfuom 'ardd ddirgel'. Roedd llwybr yn mynd trwyddi, a phob math o flodau a llwyni blodeuog ynddi wedi'u cuddio dan ordyfiant. The *Fairy Glen* oedd yr enw a roesom ar y lle, a threuliwyd oriau yno yn chwarae dros y blynyddoedd, yn chwynnu o gwmpas y blodau ac yn tacluso. Ni welsom neb arall yn yr ardd erioed; flynyddoedd wedi hynny, sylweddolais mai rhan isaf gardd y ficerdy i fyny'r bryn ydoedd. Yno roedd hen ficer dibriod yn byw a chanddo ddim diddordeb yn yr ardd o gwbl.

Un diwrnod, pan oedd Dad wedi mynd i'r *prop* a Mam wedi mynd i rywle hefyd, roedd fy chwaer a minnau yn y tŷ ar ein pennau ein hunain. Aeth yr awyr yn dywyll a daeth storm fawr o fellt a tharanau. Roedd y ddwy ohonom yn weddol ofnus ac yn eistedd gyda'n gilydd ar y soffa wrth ochr y lle tân. Doedd dim tân yno gan fod y tywydd wedi bod mor boeth. Yna, yn sydyn, daeth pelen fawr o dân mellt i lawr y simnai, a phasio'n syth o'n blaenau. Saethodd allan drwy'r bwlch drws a oedd yn arwain at ystafell y swyddfa bost, a chlywsom grac anferth o daran. Roedd yn brofiad arswydus ac roedd Ronnie a fi wedi dychryn. Neidiom i freichiau ein gilydd mewn cryndod. Pan ddaeth Dad adref, darganfuwyd bod gwifrau teleffon y swyddfa bost wedi'u taro gan fellt, ond doedd dim difrod arall wedi'i wneud i'r adeilad.

Dro arall, yng nghanol y nos, cawsom ein deffro gan ryw fath o ffrwydriad a sŵn gwydr yn torri. Roedd Dad yn meddwl bod lleidr wedi torri ffenestr y swyddfa bost ac wrthi'n dwyn arian. Er nad oedd yn gwisgo dim ond crys nos cwta a'i goesau tenau noeth yn dangos islaw, cydiodd fy nhad mewn hen waywffon hir a gafodd pan oedd yn India efo'r fyddin, a dechrau'n bwyllog i lawr y grisiau. Dilynwyd ef gan fy mam yn ei choban a phrocer o le tân y llofft yn ei llaw. Darganfuwyd nad oedd lleidr yno ac mai poteli a oedd wedi ffrwydro yn y selar yn dilyn ymgais Dad i wneud gwin eirin ysgaw!

Ar y wal y tu ôl i'r cownter yn y swyddfa bost, roedd ffrâm fawr i hongian posteri yn hysbysebu'r ffilmiau a oedd yn cael eu dangos yn y sinemâu yn Heckmondwike a Cleckheaton. Roedd y posteri yn cael eu peintio â llaw, a deuai dyn i mewn ddwywaith yr wythnos i'w newid. Byddem yn cael dau docyn am ddim i fynd i'r sinema yn gyfnewid am y gymwynas o ddangos y posteri. Mam a Ronnie a fyddai'n mynd gan amlaf. Byddai'n well gennyf i chwarae allan gyda fy ffrindiau na mynd i'r sinema ond, weithiau, os gorffennwn fy ngwaith cartref mewn pryd, byddwn yn mynd gyda nhw.

Roedd Mam wrth ei bodd gyda Gracie Fields a George Formby, ond rhaid fy mod i dipyn o *snob*, gan fy mod i yn eu hystyried braidd yn gomon. Ond roeddwn i'n hoffi ffilmiau rhamantus dau ganwr enwog ar y pryd, Jeanette MacDonald a Nelson Eddy, a'r dawnswyr Fred Astaire a Ginger Rogers, yn ogystal ag unrhyw ffilmiau â phlant, fel Shirley Temple, ynddynt. Ar ôl gwylio ffilm arswyd, methwn yn lân a mynd i gysgu yn y nos ac roedd ofni y tywyllwch arnaf. A dweud y gwir, byddai ofn mynd i fyny'r llofft ar ben fy hun arnaf am flynyddoedd, nes i ni gael trydan yn y tŷ.

Bob blwyddyn, byddai'r ffatrïoedd yn Liversedge yn cau am wythnos gyfan ddechrau Medi ar gyfer y Spen Valley Holidays, pan fyddai pawb a allai fforddio wneud hynny yn mynd i lan y môr. Roedd y trefi bach eraill hefyd yn dilyn yr un patrwm, a byddai gan bob un ei hwythnos wyliau ei hun.

Rhaid oedd i'r swyddfa bost fod ar agor o naw y bore tan saith y nos, chwe diwrnod yr wythnos drwy gydol y flwyddyn. Os oedd Dad am gael wythnos o wyliau byddai'n rhaid iddo dalu rhywun arall a'r cymwysterau cywir ganddynt i gymryd ei le. Serch hynny, byddem yn llwyddo i fynd fel teulu am wythnos i lan y môr ar y trên bob haf, naill ai i Blackpool, Southport neu Scarborough. Roedd modd teithio yno am y dydd ar y bws hefyd, ac i leoedd eraill fel Morecambe a Bridlington.

Pan oeddwn yn 11 oed, ar ôl i mi ddychwelyd i'r ysgol ym mis Medi ar ôl bod ar wyliau yn Blackpool, cefais y dwymyn goch. Bu raid i mi fynd i ysbyty bach heintiau yn y wlad lle arhosais am ryw chwe wythnos mewn ward gyda rhyw hanner dwsin o blant eraill, bob un ohonynt yn iau na fi. Bu raid diheintio ein tŷ ni â mwg, a'r swyddfa bost, a fy nesg a'm cwpwrdd bach yn Heckmondwike Grammar School.

Nid oedd hawl gan ymwelwyr ddod i mewn i'r ward, ond gan mai ysbyty unllawr ydoedd roeddynt yn gallu dod at ffenestri'r wardiau a siarad â ni drwy'r gwydr. Roedd bachgen tua naw oed yn glaf yno hefyd, a phan ddechreuom ni wella byddai'r nyrsys yn caniatáu i'r ddau ohonom fynd allan i'r ardd i chwarae. Ond, yn hytrach nag aros yn yr ardd, roeddem yn arfer dianc drwy dwll yn y gwrych a mynd i chwarae yn y caeau o gwmpas, ac wrth nant fach a oedd yn rhedeg drwyddynt. Byddai'n rhaid cymryd gofal, wrth gwrs, rhag mynd yn agos at blant eraill a oedd yn digwydd bod yn chwarae yno. Collais bron tymor cyfan o ysgol, a bu croen fy mysedd yn pilio am dros ddeng mlynedd wedi'r salwch.

Dwi eisoes wedi sôn am y Brownies. Daeth yr amser i mi symud o'r Brownies i'r Guides, ond roedd y merched yno braidd yn *rough* ac yn gas, ac yn hoffi gêmau corfforol a chystadleuol fel gwthio'i gilydd dros ryw linell a phethau felly, a ninnau'r rhai bach yn cael ein brifo bob tro. Rhyw unwaith neu ddwy yn unig yr euthum i yno, a phenderfynodd Ronnie a minnau ddechrau cymdeithas fach i ferched ein hunain.

Roedd fy chwaer wedi bod yn darllen llyfr yn sôn am y Camp Fire Girls, mudiad i ferched yn America lle roedd pob aelod yn dewis enw Indiad Coch, ac yn dylunio symbol iddi ei hun yn cynrychioli'r enw, fel rhyw fath o logo personol. Dysgai'r merched ddefnyddio eu hamser hamdden at bwrpasau buddiol, ac roeddynt yn gallu ennill pwyntiau a bathodynnau am eu cyraeddiadau mewn gwahanol sgiliau. Penderfynom ni mai dyna'r math o grŵp roeddem ni am ei ddechrau, a galwom ni'r merched bach a oedd yn byw yn y stryd at ei gilydd, tua hanner dwsin ohonom i gychwyn. Dewiswyd Ronnie yn gadeirydd a minnau'n ysgrifennydd. Darllenom ni'r llyfr *Hiawatha* gan Longfellow a llyfrau eraill er mwyn chwilio am enwau Indiaid Cochion. Dewisodd fy chwaer yr enw Tampa (y fedwen arian) a minnau'r enw Watanopa (yr anturiaethwr). Rhyw fath o raff wedi'i thorchi, fel mae dringwr mynydd yn ei defnyddio, oedd fy symbol i. Digon tebyg mai'r llyfr *Winnie the Pooh*, gan A. A. Milne, a ddylanwadodd ar fy newis o enw. Roeddwn yn hoff iawn o'r math o anturiaethau roedd Christopher Robin a'i ffrindiau yn eu cael yn y goedwig a'r wlad o gwmpas.

Roedd nant fach o'r enw Aston Clough yn rhedeg i afon Spen, ac yn yr haf byddem yn mynd am dro drwy'r caeau ac i fyny'r nant, gan gadw dyddiadur natur o'r gwahanol bethau roeddem ni'n eu gweld, a chasglu enghreifftiau o ddail a blodau i'w rhoi mewn llyfr lloffion, a'u henwau wrthynt. Weithiau, byddem yn adeiladu argae bach gyda cherrig a brigau i wneud pwll padlo, neu gael picnic o dan goeden.

Yn y gaeaf byddai'r dyrnaid o aelodau yn casglu yn ein tŷ ni. Byddem yn cynnal cystadlaethau ymysg ein gilydd – pob math o bethau fel tynnu llun, ysgrifennu'n daclus, adrodd a chanu. Roeddem hefyd yn dysgu caneuon a dawnsio a mynd o gwmpas i gynnal cyngherddau yn nhai ein rhieni. Danfonem negeseuon at ein gilydd mewn cod, ac mewn inc anweladwy weithiau, gan ysgrifennu â sudd lemon a fyddai ond yn ymddangos ar ôl ei roi yn y popty i gynhesu. Doedd dim rhaid i mi ysgrifennu neges at Jean Cawthra, y ferch fach a oedd yn byw drws nesaf i ni, gan fod y pared uwchben y sinc rhwng y ddau dŷ mor denau fel bod modd i ni siarad â'n gilydd drwy'r wal. Roedd gennym ein ffordd arbennig a dirgel o gnocio ar y pared neu ar ddrws fel arwydd mai un o'n haelodau ni a oedd yno.

Parhaodd ein clwb bach ni am ryw bump neu chwech o flynyddoedd nes i rai adael yr ardal a mynd i wahanol gyfeiriadau. Y Camp Fire neu'r C. F. roeddem yn galw ein cymdeithas ni hefyd, ond wnaethom ni erioed feddwl am geisio cysylltu â chanolfan y Camp Fire Girls yn America. Flynyddoedd wedyn, darllenais fod ganddynt ganghennau yn Lloegr hefyd, ond nid oeddem yn gwybod am hynny ar y pryd. Tybed ai'r profiad o ddechrau ein cymdeithas fach ni a ddylanwadodd arnaf 30 mlynedd yn ddiweddarach wrth ddechrau Merched y Wawr?

Rhaid i mi sôn am ddau anifail anwes a fu'n agos iawn ataf yn ystod gwahanol gyfnodau yn fy mhlentyndod sef, yn gyntaf, gath fach o'r enw Fluffy a oedd yn fodlon i mi ei gwisgo mewn dillad baban a'i gwthio hi o gwmpas mewn pram doli, ac, yn ddiweddarach, fy nghi, Queenie, a oedd yn gydymaith cyson ac yn dod gyda fi i bobman. Hyd yn oed ar y diwrnod y bu hi farw, fe'i llusgodd ei hun o'i gwely angau a'm dilyn i siop y gornel.

Yn yr ysgol rhoddwyd pob un ohonom yn y dosbarth mewn cysylltiad â ffrind Ffrengig. Roeddynt i gyd yn ddisgyblion yn y Collège Béranger yn Péronne ar afon Somme, ysgol yr oedd Heckmondwike Grammar School wedi'i gefeillio â hi. Enw fy ffrind newydd i oedd Marie-Jeanne Balluet (Maja). Roedd ei thad yn gweithio mewn swyddfa yswiriant ac roedd ganddi frawd bach o'r enw Raymond. Ysgrifennai Maja a minnau at ein gilydd yn gyson. Doedd hi ddim yn rhy anodd i mi ddeall ei llythyrau gan fod fy nhad yn siarad Ffrangeg.

Ym mis Ebrill 1939, pan oeddwn ryw 13 oed, gwnaed trefniadau i lond bws ohonom ni ddisgyblion Heckmondwike fynd i Péronne i aros gyda'n ffrindiau. Rhoddwyd rhaglen y daith i ni yn sôn am yr holl drefniadau ar gyfer ein hymweliad, ac roeddwn yn edrych ymlaen at fynd. Ond, wythnos neu ddwy cyn y daith, galwyd fi i swyddfa'r prifathro, Colonel Edwards. Dywedodd wrthyf nad oedd lle i mi ar y bws. Roedd un yn ormod wedi rhoi ei enw i lawr, a chan mai fi oedd yr ieuengaf, penderfynwyd na allwn innau fynd. Roeddwn yn siomedig iawn wrth gwrs, ond i wneud pethau'n waeth ysgrifennodd y prifathro at deulu fy ffrind yn Ffrainc yn dweud fy mod i'n sâl ac yn methu dod. Clywais wedyn fod merch arall, a oedd wedi gadael yr ysgol ers blwyddyn ond bod ei thad yn aelod o'r Clwb Rotari gyda Colonel Edwards, wedi cymryd fy lle ar y bws.

Ym mis Gorffennaf 1939 daeth Maja draw o Ffrainc gyda pharti o'r ysgol yn Péronne i aros gyda ni. Dwi'n cofio mynd gyda fy nhad fin nos i gwrdd â hi yng ngorsaf drên Heckmondwike, a hynny mewn tywyllwch llwyr. Y rheswm am hynny oedd mai dyna'r noson roedd yr awdurdodau wedi penderfynu cynnal ymarfer ar gyfer y *blackout*. Roedd y sefyllfa ryngwladol yn ddrwg a Phrydain yn rhag-weld y byddai rhyfel â'r Almaen ar y gorwel.

Ar ôl treulio wythnos olaf tymor yr haf gyda'r Ffrancod yn ein cartrefi a mynd â nhw i'r ysgol bob dydd i gymryd rhan mewn

79

gwahanol weithgareddau, penderfynodd y rhan fwyaf o'r teuluoedd fynd â'u hymwelwyr i lan y môr am wythnos. Aeth Mam â Ronnie, Maja, a minnau i Blackpool.

Yn ystod y rhyfel collodd Maja a minnau gysylltiad â'n gilydd. Ond ailgysylltom ni'n fuan wedyn, ac yn 1946 gwahoddodd fi i'w phriodas yn Péronne. Parhaem i ysgrifennu ac i ymweld â'n gilydd hyd at ei marwolaeth yn 2012, saith deg a mwy o flynyddoedd ar ôl ein llythyrau cyntaf.

Yr Ail Ryfel Byd

ROEDDWN I'N 13 oed pan ddechreuodd yr Ail Ryfel Byd. Dwi ddim yn credu iddo effeithio arnom nac achosi unrhyw newid syfrdanol yn ein ffordd o fyw. Roedd y *black-out* yn bodoli, wrth gwrs, a llyfrau dogni, a daeth gweithwyr i balu rhesi o lochesi tanddaearol yn y cae nesaf at yr ysgol. Bob rhyw fis byddai cloch trydan yr ysgol yn arwyddo bod ymarfer ar gyfer cyrch awyr yn digwydd a byddai'n rhaid i ni gipio ein mygydau nwy a rhedeg i'r llochesi hyn. Er ein bod yn sylweddoli pa mor ddifrifol oedd rhyfel, rhaid i mi gyfaddef mai rhywbeth diddorol a chyffrous oedd yr holl bethau hyn i ni'r plant. Codwyd ambell loches concrid yn y strydoedd hefyd, ac roedd gan rai lochesi Anderson yn eu gerddi. Ond roedd seler gan bob un o'r tai yn y rhes lle roeddem ni'n byw, felly doedd dim angen lloches arall arnom.

Un diwrnod, ar fy ffordd adref o'r ysgol ar ddiwrnod marchnad yn Heckmondwike, fe synnais i weld grŵp o filwyr yn saethu nwy dagrau ar hyd y lle, a phobl yn rhedeg i bob cyfeiriad wrth geisio'i osgoi. Dywedwyd mai ymarferiad ydoedd i weld a oedd y cyhoedd yn ufuddhau i anogaeth y Llywodraeth i gario eu mygydau nwy. Roedd gan y rhai a oedd yn siopa ddigon i'w gario eisoes, a chan nad oeddynt yn credu bod unrhyw gyrch nwy yn debygol o ddigwydd, yn enwedig y prynhawn hwnnw, ychydig iawn a oedd wedi trafferthu i ddod â'u mygydau. Mor falch roeddwn innau, ar y llaw arall, fy mod i wedi gwrando ar fy athrawon yn yr ysgol, a bod fy mwgwd yn fy ysgrepan. Onid oedd y Llywodraeth wedi dweud y buasai'r rheiny'n ein hamddiffyn rhag y nwy? Fe'i gwisgais ar unwaith felly, a cherdded heibio i'r milwyr yn hyderus. Ond prin roeddwn i wedi'u cyrraedd cyn i mi sylweddoli bod y mwgwd yn dda i ddim. Roedd y nwy yn pasio drwyddo'n syth i'm trwyn a'm hysgyfaint. Roedd fy llygaid a'm trwyn yn llosgi fel cols a dagrau yn llifo o'm llygaid. Teimlais fy mod yn mynd i dagu. Dysgais bryd hynny na ddylech roi gormod o ffydd yn unrhyw beth mae llywodraethau yn ei ddweud.

Dro arall ar fy ffordd adref o'r ysgol, gwelais ddigwyddiad mwy erchyll byth. Roedd cyffordd arbennig o beryglus ar riw serth yn Liversedge o'r enw Frost Hill. (Roedd fy nhad wedi ein dysgu ni pan oeddem yn blant i beidio byth â chroesi'r ffordd yno ond i gerdded i le saffach lle roedd modd gweld yn well). Y diwrnod hwnnw, roeddwn newydd gyrraedd y gyffordd pan ruthrodd merch fach allan o dŷ ar y cornel peryglus ac yn syth ar draws y ffordd o flaen bws a oedd yn dod fel mellten i lawr y rhiw. Llwyddodd i gyrraedd ochr arall y ffordd yn saff, ond nid felly'r plentyn bach arall a'i dilynodd hi. Wrth i frêcs y bws sgrechian, bu'n rhaid i mi edrych i ffwrdd, a phan droais yn ôl yr unig beth a welais oedd pwll o waed ac esgyrn mân. Daeth dynion wedyn â rhawiau ganddynt i grafu'r gweddillion o'r ffordd. Dywedwyd mai faciwî oedd y plentyn a oedd wedi dod i aros yn Liversedge o un o'r trefi mawr o gwmpas, er diogelwch.

Roedd Liversedge wedi'i amgylchynu gan nifer o drefi mawr fel Leeds, Bradford a Halifax a phan fyddai'r seirenau yn canu i roi rhybudd o gyrch awyr, byddai trigolion Liversedge yn casglu ar gorneli strydoedd er mwyn syllu i'r awyr i weld y *fireworks*, yn hytrach na mynd i guddio yn y seleri.

Yn 1941, pan oedd Ronnie (neu 'Ron' erbyn hynny) yn 17 a hanner, ymunodd â'r WAAF (Women's Auxiliary Air Force) a gadael cartref. Bu'n gwasanaethu ym Mhrydain, a hefyd yn Algeria a'r Aifft. Yn rhyfedd iawn, unwaith i Ron fynd, teimlais fod gennyf fwy o hunanhyder ac roeddwn i'n hapusach yn yr ysgol. Am y pum mlynedd nesaf ysgrifennais ati'n gyson, ddwywaith yr wythnos weithiau, yn rhoi adroddiad manwl o'r holl bethau roeddwn i a'r teulu wedi bod yn eu gwneud. Dros 60 o flynyddoedd yn ddiweddarach, synnais i glywed bod Ron wedi cadw'r holl gannoedd o lythyrau hyn ac, yn ystod un o'i hymweliadau diweddar, rhoddodd y cwbl yn ôl i mi. Felly mae gennyf gofnod, gwell na dyddiadur, o bopeth a ddigwyddodd yn fy mywyd yn ystod yr adeg honno. Dyma ran, er enghraifft, o un o'm llythyrau yn sôn am gyrch awyr:

Last night we didn't have a good night either. We got to bed late and just as we were settling down to sleep we heard bombs and gunfire very near, so we got up and came downstairs. A few minutes later the sirens went (late as usual). We turned the light off and went to the door. Nearly all the street was out watching the flashes and listening to the *brrrrumps*. About half an hour afterwards everything seemed to be quiet again so we went to bed, then the all clear went.

Just as we were getting off to sleep again Wailing Willie went again, together with bangs and flashes. So we came down again and went to the lamp post at the end of the street with half the neighbours. We saw something on fire floating down from the sky. It looked like a flaming barrage balloon over Cook's mill. It drifted down slowly, and then the sky was lit up with a red glow. Mr Cawthra [y dyn drws nesaf] was wandering about in his tin hat trying to look official, and Jean [ei ferch fach] was jumping up and down right excited.

Cyfeiriai mwy nag un llythyr at y ffaith fod fy nhad hefyd, fel Mr Cawthra, yn *Fire Guard*. Roedd ganddo yntau rwymyn braich yn dweud hynny a het dun hefyd. Byddai ar ddyletswydd gyda dau gymydog arall bob nos Lun. Roedd un o'n cymdogion eraill yn *Air Raid Warden* ac ambell un yn aelod o'r Home Guard. Dwi'n cofio bod gan Dad fap mawr o Ewrop ar wal y gegin a byddai'n gosod pinnau arno i ddangos lleoliad byddinoedd y ddwy ochr yn y rhyfel, a'u symud wrth wrando ar y newyddion diweddaraf ar y radio

Ond roedd y rhan fwyaf o'm llythyrau at Ron yn sôn am bethau eraill heblaw'r rhyfel: am gynilo arian a chwponau melysion yn ddirgel i brynu anrhegion Nadolig i Mam a Dad; am bethau cymdeithasol fel mynd i'r sinema neu i barti Nadolig yng nghaban y sgowtiaid; am dreulio fin nos yn gwnïo neu'n helpu gwneud rwg carpiau i'r gegin; am waith ysgol ac arholiadau; am deithiau ysgol i weld operâu a dramâu yn y theatrau yn Bradford; yn rhoi newyddion am ein ffrindiau a pherthnasau; yn sôn am farddoniaeth roeddwn wedi'i darllen; a chant a mil o bethau eraill.

Pan oeddwn yn 16 oed daeth gorchymyn o'r Llywodraeth bod rhaid i bawb dros yr oed hwnnw gofrestru ac ymuno â rhyw gorfflu o gadetiaid neu fudiad ieuenctid i gael hyfforddiant addas ar gyfer y rhyfel. Ymunais i â'r GTC (Girls' Training Corps) a oedd yn gysylltiedig â Heckmondwike Grammar School. Roedd y bechgyn fel arfer yn ymuno â'r Army Cadet Force neu'r Air Training Corps.

Gwnaethom lawer iawn o ymarfer drilio a gorymdeithio, drwy Heckmondwike, ac mewn seremonïau fel *Wings for Victory Week* neu *War Weapons Week*, gyda chyrff eraill, wrth gofadail y dre. Yn fuan iawn y deuthum i sylweddoli fy mod, er gwaethaf fy swildod, yn dda iawn am ddrilio'r lleill a gweiddi gorchmynion arnynt, a chefais fy newis yn aml iawn i wneud hynny. Caem ein hyfforddi hefyd mewn pethau fel cymorth cyntaf, darllen mapiau, cod Morse, ymhlith pethau eraill. Dyma ran o lythyr a ysgrifennais at Ron am ein hyfforddiant yn yr orsaf dân:

Yesterday we went down to the fire station. First we had to practise throwing a bucket of water at a dummy fire. It's harder than it looks, but the fire chief said 'Very good!' to me...

After the water throwing experiment we tried with fire extinguishers but everything went wrong and the things wouldn't work right. They must have been stuck in school about 50 years without being used.

Then came the most exciting part. Mr Stribbling, the fire chief, got out the jumping sheet, and 14 of the girls held it. (I hung back 'cos I wanted to see what jumping felt like) and he showed us what to do. You have to just walk off the roof with your hands by your sides, land with your knees bent and fall forwards, landing on bent elbows.

First a fireman came down to show how it was done, Then one or two of the 'pushy' girls had a try midst much giggling. Then Kathy and I decided we'd have a turn. We had to go up a wobbly ladder onto the roof, walk round a narrow ledge and drop off into the sheet. The girl before me (she's usually right forward and pushy) stood on the ledge looking down, attempted to drop off but always pulled herself back before she left the roof. In the end she had to stand back saying she daren't. So it was my turn. Of course she'd made me feel scared too. It looked an awfully long way down (much further than it did from the ground). I stood on the edge watching the girls straining to keep the sheet tight. Somebody from our form waved. I waved back and, feeling just like a parachutist about to jump out of an aeroplane, I calmly (outwardly but not inwardly) walked off the edge of the roof. Talk about roller coasters leaving your stomach behind! I hadn't time to think though before I made a perfect three point landing (or was it four point) in the centre of the sheet. But it was wonderful!

Then I got hold of the handles of the sheet in someone else's place. (They have a special name but I have forgotten what it is). I was right up against the wall of the building from which we had to jump. I stood with bent knees and bent elbows waiting for the next person to land. (We had to hold with palms of the hands facing upwards). I looked up and saw someone dropping down from above, then suddenly – thud – they had hit the sheet. Oh my poor wrists! They seemed to take all the strain. If I hadn't had all my joints bent though the strain would all have gone to those nerves at the back of the neck which I think you told me about.

I stayed and helped to catch about six more people then I changed places again with someone who had just come down. I climbed up the ladder again and had two more turns at jumping.

Gan fy mod i bellach dros 16 oed roedd y rheoliadau yn caniatáu i mi helpu Dad yn swyddogol y tu ôl i'r cownter yn y swyddfa bost. Cyn hynny, fe'm cyfyngwyd i werthu pethau yn rhan arall y siop a chadw trefn ar lyfrau'r llyfrgell. Yna y Nadolig dilynol cefais fy swydd gyntaf yn gweithio i rywun arall.

Er bod y fan bost yn dod i gasglu'r llythyrau o swyddfa bost Dad yn Liversedge byddai'r holl lythyrau yn cael eu didoli a'u dosbarthu o'r swyddfa ddosbarthu a oedd yn gysylltiedig â'r brif swyddfa bost yn Heckmondwike. Yno cefais i a nifer o fy nghyd-ddisgyblion yn nosbarth chwech ein cyflogi fel postmyn dros dro yn didoli a dosbarthu'r llythyrau a chardiau Nadolig yn ystod rhuthr Nadolig 1942 pan oedd prinder gweithwyr oherwydd y rhyfel. Wrth gwrs, yn ôl yr arfer bryd hynny, cawsai'r bechgyn fwy o dâl na'r merched am wneud yr un gwaith. Fel mae'n digwydd, gŵr chwaer Dad, Uncle Percy, oedd prif bostfeistr Heckmondwike, ond gan fod ef a'i wraig yn *snobs* mawr a oedd yn byw mewn tŷ newydd crand a byth yn gwneud dim â ni, dwi ddim yn credu iddo hyd yn oed sylweddoli pwy oeddwn i.

Anghofiaf i fyth yr oriau gwaith hir yn

didoli llythyrau ac yna'n eu dosbarthu drannoeth o fag eithriadol o drwm wrth gerdded o gwmpas ardal ddieithr o Heckmondwike a oedd wedi'i neilltuo benodol ar fy nghyfer i. Roedd y tywydd yn erchyll, gyda chymysgedd o niwl trwchus a mwg o simnai'r ffatrïoedd, sef mwrllwch neu *smog*. Amhosibl oedd gweld mwy na llathen o'm blaen – digwyddai hynny yn aml iawn yn y rhan hon o'r wlad cyn i'r Ddeddf Awyr Lân ddod i rym – ac roedd yn rhaid i mi deimlo fy ffordd ar hyd y waliau o un tŷ i'r llall ac i fyny llwybrau'r gerddi. Ar un achlysur cefais fy nychryn yn arw gan gi anferth yn cyfarth nerth ei ben a ymddangosodd yn sydyn drwy'r niwl a neidio gan roi ei bawennau ar fy ysgwyddau. Cafwyd hefyd nifer o gŵn bach swnllyd y tu mewn i'r drysau a neidiai i geisio cnoi fy mysedd wrth i mi roi'r llythyrau drwy'r twll. Roedd dau ddosbarthiad bob dydd, a phan gyrhaeddwn adref fin nos byddai haen o huddygl ar fy nghroen, fy ngwallt a'm dillad i gyd, a byddai hylif du yn diferu o'm llygaid a'm trwyn. Byddai'n rhaid i ni weithio ar ddydd Nadolig hyd yn oed.

Dri mis cyn hynny, ym Medi 1942, roeddwn wedi cychwyn ar fy ail flwyddyn yn nosbarth chwech. Gan nad oeddwn ond 16 oed, roedd ein prifathro, Colonel Edwards, wedi fy nghynghori i aros yn yr ysgol am ddwy flynedd arall yn hytrach na blwyddyn. Er nad oeddwn yn fodlon iawn, cytunais i wneud hynny. Ond pan oeddwn yng nghanol fy arholiadau Higher School Certificate ym Mehefin 1943, a minnau erbyn hynny yn 17 oed, danfonodd Mr Edwards amdanaf a dweud bod perygl y byddai'n rhaid i mi fynd i'r lluoedd arfog oni wnawn gais i fynd i'r coleg a dechrau yno cyn i mi fod yn 18 oed. Er ei bod hi'n hwyr iawn yn y flwyddyn i wneud hynny, anfonais ddau gais i fynd i'r brifysgol yr hydref hwnnw, y naill i Fangor a'r llall i Aberystwyth.

Bryd hynny, doeddwn i ddim hyd yn oed yn gwybod fod y ddau le yng Nghymru, ond wrth edrych ar y map roeddynt yn ymddangos yn drefi tawel yn agos at fôr a mynydd. Er bod fy mam yn awyddus i mi fynd i Leeds, roedd yn gas gennyf drefi mawr a ffatrïoedd myglyd, ac roeddwn am weld rhan arall o'r wlad yn hytrach na byw gartref.

Cefais ateb o Fangor yn dweud y byddai'n rhaid i mi gael *credit* yn Lladin yn yr arholiad School Certificate, er mwyn cael fy nerbyn i wneud cwrs Ffrangeg. *Pass* yn unig roeddwn i wedi'i gael yn y pwnc hwnnw. Doedd dim sôn o gwbl am yr arholiad Higher School Certificate lle roeddwn hefyd yn gwneud Lladin fel un o'm pynciau. Y flwyddyn honno, yn ogystal â sefyll yr arholiadau Higher School Certificate, sefais arholiad Lladin y School Certificate am yr eildro, a chael *distinction* y tro hwn.

Hysbysais y ddau goleg o'm canlyniadau ond, gan nad oeddwn wedi clywed dim byd pellach gan Fangor nac Aberystwyth erbyn diwedd y gwyliau haf, cychwynnais yn ôl yn yr ysgol ym Medi 1943. Ni fyddai neb wedi meddwl am gymryd *gap year* bryd hynny.

Roedd gennyf reswm arall dros ddychwelyd i'r ysgol. Y mis Medi hwnnw, oherwydd prinder gweithwyr ar y ffermydd, roedd trefniadau wedi'u gwneud i rai o ddisgyblion hŷn yr ysgol fynd ar eu beiciau i wersyll cynaeafu yng nghefn gwlad Swydd Efrog; byddai dros 20 o fechgyn yn gweithio ar y ffermydd a phedair o ferched, yn fy nghynnwys i, yn gwneud bwyd iddynt. Canolfan y gwersyll oedd hen ysgol gynradd pentre o'r enw Draughton, yr ochr arall i Ilkley Moor i gyfeiriad Skipton. Dyma sut y disgrifiais fy siwrnai yno wrth Ron:

> Draughton is 30 miles from where we live, and Mary Hirst, Margaret Bellfield and I rode all the way on our bicycles. It was pouring down with rain all the time and we were soaked before we got to Bradford. When we got to Keighley we stopped at

a shop for apple pies and lemonade and we got instructions about the rest of the way. Soon however we found ourselves wandering over the Yorkshire moors with no sign of life around us. The road was very narrow and wound up and down over the hills. We seemed to be getting higher and higher and we felt to be right on top of the world, but we couldn't see very far as we were enveloped in a kind of mist. We thought we had lost our way, and believe me, we wandered miles and miles pushing our bikes up the hills and riding down. Once, when we were ever so tired of pushing up hill, we came to a lovely steep winding slope and we set off riding down pell-mell. Suddenly out of the mist appeared a terrible S bend. I pulled up suddenly and nearly skidded. Margaret did so and flew over her handlebars. Mary drove her bike into the grass. And there we were stuck on top of the moors in the mist and drizzle with Margaret's knees and hands all cut and bleeding, and her bike all sprained, and all three of us not knowing where we were. At last, after rendering to Margaret the best first aid we could with our soaking hankies, Mary went on in front by bike to see if she could spy out the land and I trailed along wheeling two bicycles the best I could, and Margaret hobbled on behind. At last Mary came back to tell us she had asked the way at some sort of farmhouse and we learnt that we were not far from Draughton.

Er gwaetha'r cychwyn anffodus hwn i'r amser a dreuliom yn y gwersyll cynaeafu, y saith diwrnod dilynol oedd wythnos hapusaf fy mywyd! Roeddwn yn ymwybodol o hynny ar y pryd, a dwi dal i deimlo hynny.

Pam? Wel, dyna'r tro cyntaf (heblaw am fy amser yn yr ysbyty oherwydd y dwymyn goch) i mi fod oddi cartref heb fy rhieni ac yng nghwmni fy nghyfoedion mewn amgylchiadau mor wahanol i'r arfer; roedd pob profiad yn ddieithr a chyffrous, fel mynd gyda rhai o'r bechgyn i berllan gyfagos i gasglu afalau o'r coed, a choginio ar hen stof baraffîn (dwi dal i deimlo cyffro hiraethus os clywaf arogl paraffîn, rhywbeth sy'n digwydd yn bur anaml y dyddiau hyn); fe ddilynwyd glaw'r diwrnod cyntaf gan gyfnod hir o dywydd heulog crasboeth ac yn yr amser rhydd a gaem bob dydd aem i grwydro cefn gwlad ar ein beiciau, gan ymweld â lleoedd diddorol fel adfeilion Abaty Bolton, neu'n eistedd i orffwys a bwyta brechdanau ar y gwair ar lannau rhyw nant neu afon; fin nos wedi swper yn y gwersyll, byddem yn eistedd o gwmpas y tân rhamantus yn canu caneuon; ac, i goroni'r cyfan, mi gefais gariad!

Bachgen gweddol dal, pryd golau, golygus ac annwyl ydoedd, a byddai'n eistedd wrth fy ymyl ger y tân, a'i fraich o gwmpas fy ysgwyddau. Cyfaddefodd ei fod wedi syrthio dros ei ben a'i glustiau mewn cariad â fi, a theimlwn ryw hapusrwydd cyffrous a chynnes yn ei gwmni ac roeddwn yn hollol gyfforddus gydag ef, heb deimlo'n swil o gwbl, rhywbeth a oedd yn ddieithr i mi. Ond roedd un broblem – roedd e ddwy flynedd yn iau na fi! Er fy mod i'n cael fy ystyried yn ifanc am fy oed, sut gallai merch 17 oed ganlyn bachgen 15 oed? Byddai fy ffrindiau yn siŵr o wneud sbort am fy mhen!

Ar ôl wythnos yng nghanol y penbleth hwn, cyrhaeddodd rywbeth i setlo'r broblem, sef telegram oddi wrth fy nhad yn dweud, 'Bangor accepts. Return home.' Doedd dim amdani felly ond dychwelyd ar unwaith i Liversedge i baratoi i fynd i'r coleg. Cefais sawl llythyr oddi wrth fy nghariad wedyn yn crefu arnaf i barhau i gyfarfod ag ef ac yn dadlau bod mam ei ffrind ysgol yn ddwy flynedd yn hŷn na'i dad! Ond roedd fy mhenderfyniad wedi'i wneud. Nid plentyn ysgol mohonof bellach, ond myfyrwraig prifysgol a oedd ar fin cychwyn ar bennod newydd yn ei bywyd.

Y Coleg ar y Bryn

OHERWYDD Y RHYFEL, roedd Coleg y Brifysgol, Bangor yn rhannu ei gampws â myfyrwyr yr UCL (Coleg Prifysgol Llundain) a aeth yno fel faciwîs. Gan fy mod i mor ofnus o deithio ar y trên ar ben fy hun, ac yn gorfod newid ym Manceinion, trefnodd Mam i mi deithio i Fangor y tro cyntaf hwnnw gyda myfyriwr hŷn o'r UCL a oedd yn byw yn Liversedge. Rhaid ei fod yn meddwl fy mod i'n berson hurt gan na siaradais i'r un gair ag ef yr holl ffordd am fy mod i mor swil, dim ond ateb, 'yes', a 'no', a diolch iddo, ar ddiwedd y daith, am ddangos i mi ble roedd yr hostel lle roeddwn i aros.

Doedd neb o gwmpas yn yr University Hall, adeilad mawr coch ar Ffordd y Coleg sydd wedi newid ei enw sawl gwaith ers hynny. Ond gwelais ar hysbysfwrdd yn y cyntedd restr o enwau'r myfyrwyr a fyddai'n aros yno, ynghyd â rhif eu hystafelloedd. Synnais at yr enwau rhyfedd nad oeddwn wedi'u clywed o'r blaen, enwau fel Gwenllian, Myfanwy, Glenys, Eirwen a Gwyneth! Roeddwn yn astudio'r rhestr yn ofalus pan ddaeth merch newydd arall i mewn ac ymuno â mi wrth yr hysbysfwrdd. Adnabuom ein gilydd yn syth! Margaret Clark ydoedd. Hi oedd fy ffrind gorau yn nosbarthiadau cyntaf Heckmondwike Grammar School, ond roedd y teulu wedi symud i fyw i Brestatyn!

Roedd yr ystafell lle roeddwn i aros wedi'i rhannu yn bedwar ciwbicl, ac ym mhob un ohonynt roedd gwely haearn ac ychydig o ddodrefn plaen yn cynnwys rhyw fath o wardrob gyda llen ar ei draws yn lle drws ond, gan mai hwn oedd y tro cyntaf erioed i mi gael wardrob o unrhyw fath, roeddwn i'n eithaf bodlon. Doedd dim math o wres yn yr ystafell, a dwi'n cofio teimlo'n oer iawn yn y gaeaf, ond, i mi, roedd yr olygfa o fy ffenestr yn syfrdanol. Roeddwn yn gallu gweld y môr a'r holl ffordd i fyny'r arfordir at Benmaenmawr.

Elizabeth (Beti) Jones o Fynytho, Beti-Wyn Williams o Borthmadog, a Jean McCormick o Lerpwl oedd y tair merch arall a rannai'r ystafell. Daeth Beti o Fynytho yn ffrind gorau i mi ac yn gyd-letywraig drwy gydol ein pedair blynedd yn y coleg.

Roedd hosteli'r merched a hosteli'r bechgyn ar wahân wrth gwrs. Rhaid cofio na fyddai pobl yn dod i oed bryd hynny tan iddynt gyrraedd 21, ac, felly, roedd hi'n haws gosod rheolau llym. Byddai rhai oriau arbennig yn ystod yr hwyr ac ar benwythnosau yn cael eu neilltuo fel *silence hours*, pryd disgwylid i ni gadw'n ddistaw ac astudio ein llyfrau neu ysgrifennu ein traethodau. Os aem allan fin nos, roedd yn rhaid i ni fod yn ôl yn yr hostel erbyn deg o'r gloch, a diffoddwyd y golau drwy'r hostel am un ar ddeg. A bwrw bod gennych esgus digonol, roedd modd cael caniatâd i fod allan tan hanner awr wedi deg, drwy arwyddo'r *late book*, yna byddai'r warden yn disgwyl amdanoch wrth y drws i sicrhau eich bod chi wedi cyrraedd yn ôl. Cyn hir, dysgom ni ei bod hi'n fwy manteisiol i beidio ag arwyddo'r *late book*, ac, os oedd un ohonom allan yn hwyrach, byddai cnocio ar ffenestr yn ddigon i un o'r merched ddod i ddatgloi'r ffenestr neu'r drws i ni.

Doedd dim neuadd breswyl ar wahân i'r Cymry Cymraeg bryd hynny. Wrth edrych yn ôl, efallai fod hynny'n beth da yn fy achos i, neu fuaswn i byth wedi mynd ati i ddysgu Cymraeg, ond, wrth gwrs, roedd y Saeson yn y lleiafrif bryd hynny.

Yn un o'm llythyrau at Ron, dwi'n dweud, 'Everybody talks to each other in Welsh. There are only about three of us who can't understand it and we look at each other helplessly'. Mewn llythyr arall dwi'n sôn am y merched eraill yn gwneud sbort am fy mhen gan fy mod i'n siarad Saesneg ag acen Swydd Efrog. Roeddynt yn fy ngalw'n 'Enoch', enw cymeriad mewn rhaglen gomedi ar y radio a siaradai ag acen gref y sir honno. 'They say', meddwn, 'there's only one difference between me and Enoch and that is he gets paid for it.' Dwi'n sôn hefyd fel roeddwn am weld rhyw ffilm arbennig yn y Plaza, 'because the homely Yorkshire in it will seem like an oasis in a desert'. Ond, cyn diwedd y tymor cyntaf, ysgrifennaf:

> The Welsh tongue doesn't annoy me at all now, well, at any rate, the North Walians don't, but the South Walians just drawl along in a high sing-song voice which everyone else seems to think is very musical. I wish I could learn the Welsh language, but I don't seem to be able to twist my tongue into the right place to get the correct sounds. At least they sound right to me, but not to Welsh ears, for example, have you ever tried to say 'Pwllheli'?

Yn ddiweddarach, dywedaf, 'I have got some really good friends, mostly Welsh. I get on with the Welsh better than the English, although there is bitter emnity between the two nations.' A chyn diwedd y flwyddyn, dwi'n ysgrifennu:

> I have set my mind to learn Welsh, and I am

not getting on too badly. I bought a lesson book you know, and can already translate little sentences such as 'He is buying bread in the village' and 'She sees a man in the road', but, of course, I have to study about them first.

Doedd dim y fath beth bryd hynny â dosbarthiadau dysgu Cymraeg i Saeson fel fi, yn y coleg nac ychwaith yn y dref, a threuliais oriau yn ystod y tymor ac yn ystod y gwyliau haf gartref yn dysgu Cymraeg ar ben fy hun o lyfr Caradar, *Welsh Made Easy*. Rhwng yr oriau hyn a'r oriau a dreuliais yn ysgrifennu llythyrau hir at fy chwaer, dwi'n synnu i mi gael amser i wneud fy ngwaith coleg.

Oherwydd prinder athrawon ysgol yn ystod y rhyfel, byddai'r llywodraeth yn talu ffioedd myfyrwyr a ddewisent gyrsiau a fyddai'n arwain at swydd athro neu athrawes. Serch hynny, byddai raid i ni dalu am ein bwyd a'n llety, costau teithio i'r brifysgol, llyfrau a phethau angenrheidiol eraill ein hunain.

Erbyn hynny, roedd Dad wedi ymddeol yn gynnar o'r Swyddfa Bost ac roeddem wedi symud i fyw i un o'r bythynnod roedd yn berchen arno mewn rhan arall o Liversedge, sef Littletown. Roedd arian yn brin a doeddwn i ddim wedi gallu fforddio llawer o bethau newydd i fynd i'r coleg. Dwi'n cofio torri i ffwrdd rhan uchaf fy *gymslip* ysgol er mwyn gwneud sgert o'r gweddill, a chefais rai pethau gan fy chwaer, yn cynnwys dau bâr o byjamas *RAF issue*. Er bod gwersi ymarfer corff yn orfodol i ddarpar athrawon, doedd neb o'r merched yn gwisgo dillad arbennig ar gyfer y rheiny, dim ond diosg ein sgertiau a gofalu ein bod yn gwisgo'r hen nicers tywyll a lastig rownd y coesau a fu'n rhan o'r iwnifform ysgol. Doedd hi ddim yn dderbyniol ychwaith i ferched wisgo trowsus bryd hynny (heblaw am y rheiny a oedd yn gweithio ar y tir, ymhlith pethau eraill).

Dwi ddim am roi'r argraff fy mod i'n dlotach na neb arall o'm ffrindiau newydd. A dweud y gwir, roedd bron pawb roeddwn yn eu hadnabod, yn enwedig y Cymry, yn yr un cwch. Roedd y ffaith bod dillad yn cael eu dogni yn ystod y rhyfel hefyd yn gwneud i chi ystyried yn ofalus cyn defnyddio eich cwponau prin. Byddai Dad yn danfon arian i mi yn gyson. Cefais grant bychan gan West Riding County Council ond, fel llawer o fyfyrwyr heddiw, roeddwn wedi gorfod trefnu benthyciad hefyd.

Wrth ailddarllen fy llythyrau at fy chwaer yn ystod y tair blynedd yn y coleg, dwi'n cael fy atgoffa o sawl peth na fyddwn wedi cofio amdanynt fel arall. Roedd digon o sôn ynddynt am gost yr holl lyfrau roedd yn rhaid i ni eu cael, am y gwahanol ddarlithwyr, y darlithiau ac am yr holl waith roedd yn rhaid i ni ei wneud, ond roedd y rhan fwyaf o'm hadroddiadau hir yn ymwneud â'n bywyd cymdeithasol.

Rhyw dri chant yn unig o fyfyrwyr a oedd ym Mhrifysgol Bangor yn ystod fy nghyfnod i yno, a byddai pawb yn dod i adnabod ei gilydd. Dyma fy nisgrifiad o'r *Freshers' Welcome* yn fy mlwyddyn gyntaf:

Last night we went to the Freshers' Welcome in Powis Hall. All the girl freshers were given a ticket to wear with a name on such as 'Juliet' and the boys with one such as 'Romeo', and then we had to go round looking for our partners. I was 'Lady' and my partner was 'Lord'. Beti (my friend) was 'Maid Marion' and her partner was 'Robin Hood', and Beti-Wyn (a really comical girl) was 'Blast' and her partner was 'Damn'. I don't think many people stuck to their own partners however. I didn't and neither did Beti. Beti's new boy friend is very young looking and has got fair hair. The boy I danced with mostly is tall and has got dark hair. He is also a marvellous dancer and my steps fit in with his perfectly. We can really do some elaborate stuff, wizzing round in the corners and doing fancy steps, and we just seem to glide as if we are skating on ice. But the trouble is he looks dozy and gormless and wears horn-rimmed spectacles.

We played all sorts of games such as 'musical arms', and we had a 'smash and grab' dance, the lights go out and the music stops and everyone has to grab a different partner in the dark, but my partner wouldn't let me be grabbed by anyone else, even though the lights went out about 20 times during the dance. And was the music hot! We were almost jitterbugging. Of course there were also quiet dreamy waltzes and tangos and hokey kokeys. We had a splendid time.

Ond roedd y croeso a gawsai'r glasfyfyrwyr yn yr hostel ei hun braidd yn wahanol. Y noson cyn y ddawns uchod, fe'n gwahoddwyd ni gan y merched hŷn i ryw fath o barti neu *initiation ceremony* yn ystafell gyffredin yr hostel, ond:

When we went up to bed, we found that all the freshers' beds had been turned upside down, so we promptly went and turned all the seniors' beds upside down. Then, when we got in from last night's dance, we found that all the freshers' cubicles had been absolutely ragged, pairs of knickers and corsets hanging on all the lamp shades; everything had been fetched out of the drawers and tied together to make festoons all round the room and intertwined with prickly holly; everything had been tipped out of the cupboards and bookcases and scattered all up and down; everyone's photos had been mixed up. I got a picture of an airman where Queenie's photo had been; we all got apple pie beds, and our pyjama legs and sleeves had been sewn up; we were in a real mess, and we all found notices saying ANY FURTHER DISRESPECT SHOWN TO SENIOR STUDENTS WILL BE SEVERELY DEALT WITH. We couldn't stop laughing for about an hour, and it took us nearly all night to get cleared up, especially as 'lights out' was at 11 o clock, and we were all late for breakfast this morning.

Yn fy llythyrau dwi'n sôn hefyd am y *singsongs* a gynhelid gan y myfyrwyr yn y coleg bob bore Sadwrn; am yr *hops* bob nos Sadwrn; am y nosweithiau llawen a'r eisteddfod ryng-golegol; am y *coll yell* (rhywbeth yn debyg i *haka* tîm rygbi Seland Newydd) a floeddiwyd cyn pob gêm bêl-droed rhyngom ni a Choleg Llundain neu'r Coleg Normal); am y rasys cychod-hir ar afon Menai rhwng Coleg Bangor a Choleg Llundain, yn

debyg i'r rheiny rhwng Rhydychen a Chaer-
grawnt; ac am yr etholiadau ffug rhwng
ymgeiswyr a oedd yn cynrychioli'r gwahanol
golegau neu hosteli. Dyma enghraifft o sut
byddai'r gystadleuaeth ffyrnig rhwng y
gwahanol golegau neu hosteli'n mynd dros
ben llestri weithiau:

That night we were working quietly in [the]
hostel when we were suddenly roused by
the sound of about 50 boys' voices bawling
out the UCL yell. We jumped up and rushed
to the doors and windows and yelled back
as hard as we could, although there were
only about 15 of us in [the] hostel at the
time. Then, to make matters worse, we were
all surprised by a crowd from Reichel at the
other end of the garden. The air was filled
with cries and yells of all kinds, and people
were flashing torches and booing as hard as
possible. They had also brought their own
brass band and banners.

Some of the girls started chucking buckets
of water out of the windows above onto the
crowd below. That set them off of course
and they forced their way into our hall
and began rushing upstairs. The girls I
was with were trying to bar the door and
stem the invasion and there was a battle
in the doorway. The girls upstairs began
throwing water over the bannisters onto the

advancing enemy. They managed to get the boys all downstairs, and they got one in a corner and absolutely soaked him.

The enemy then retreated and we collected our scattered forces, got the stirrup pump and held it towards them ready for the next advance, and didn't they half get it when they arrived! They then dashed forward and captured the pump and bucket of water and turned the tables on us. We then managed to get the tube of the pump which we fastened on a tap to use as a hose pipe and drove them off.

They retreated once more taking with them part of the pump, one bucket, one jug, one table and a huge fir tree which they had pulled up out of the garden. They left the gates from the gardens of Reichel and Bala-Bangor leaned up against our front door together with a real coffin.

Everyone was soaking wet and covered with honourable battle scars. The floors were absolutely swimming and water was cascading down the staircase... Some of us tried to mop up the water with floorcloths... Most of the staff kept discretely out of the way...

Yn ôl fy llythyrau, un peth a oedd yn fy mhoeni yn ystod fy mlwyddyn gyntaf oedd y ffaith nad oedd gennyf ffrog hir i'w gwisgo yn y dawnsfeydd mwy ffurfiol a gynhaliwyd o dro i dro; byddai raid i chi wahodd partner, neu gael eich gwahodd gan rywun, i'r rhain. Doedd gennyf ddim arian i brynu ffrog wrth gwrs, a gofynnais i Ron a oedd ganddi un y gallwn ei benthyca. Trafodais hefyd y posibilrwydd o wneud fy ffrog fy hun, ond doedd gennyf ddim peiriant gwnïo. Yn y diwedd, fel yn stori *Cinderella,* cefais sypréis annisgwyl a phleserus iawn drwy'r post gan fy mam, sef yr union ffrog y byddwn i wedi'i dewis. Roedd hi wedi mynd ati i wneud un i mi o les glas golau dros bais isaf satin o'r un lliw. Roedd hi'n hyfryd, a rhaid bod Mam wedi treulio oriau yn gweithio arni.

Byddai dydd Sul yn y coleg yn ddiwrnod diflas i mi. Fel y dywedais wrth fy chwaer, 'Sunday is a miserable day here. Today it's pouring down with rain. All my friends have gone to different chapels, one a Wesleyan, one a Baptist, one a Congregationalist, and everything is dead'. Dwi'n cofio unwaith i un o fy ffrindiau golli botwm oddi ar ei chôt wrth iddi baratoi i fynd i'r capel. Doedd hi ddim am ymddangos yn flêr ac esgeulus, ond roedd hi mewn penbleth gan ei bod hi'n credu mai pechod oedd gwnïo ar y Sul. Er hynny, roedd hi'n barod iawn i dderbyn fy nghynnig i wnïo'r botwm yn ôl!

Yn hytrach na derbyn gair y Beibl

ynglŷn â'r 'creu', roedd yn well gennyf i dderbyn eglurhad biolegwyr fod dyn, fel popeth arall byw, wedi esblygu o ffurfiau symlach o fywyd dros filiynau a biliynau o flynyddoedd. Ac, o ganlyniad, os nad oedd duw yn bodoli, doedd dim dewis gan ddynion ond mynd ati eu hunain i geisio datrys eu problemau a helpu ei gilydd, gan ddefnyddio eu gwybodaeth, eu profiad a'u rheswm, a chan ystyried yn ofalus effaith yr hyn roeddynt yn ei wneud ar bobl eraill ac ar y byd yn gyffredinol.

Serch hynny, oherwydd chwilfrydedd, byddwn yn mynd gyda fy ffrindiau newydd i un o'r capeli o dro i dro, i weld bedydd, er enghraifft, lle byddai pobl mewn oed yn cael eu trochi'n llwyr mewn tanc o ddŵr, neu i glywed pregeth rhyw fyfyriwr neu'i gilydd a oedd yn astudio i fod yn weinidog yr efengyl. Er nad oeddwn yn gredadun, roeddwn yn cael rhyw wefr o glywed emynau Cymraeg. Byddai'n arferiad hefyd i dorf o fyfyrwyr gweinidogaethol, wrth aros ar risiau'r coleg i gael cinio, ddechrau canu emynau mewn harmonïau hyfryd, ond gan ddefnyddio geiriau cellweirus yn lle'r rhai gwreiddiol.

Ymddangosai i mi fod mwy o ddarpar weinidogion ymysg y myfyrwyr ar y pryd nag unrhyw fath arall, gan mai dyna, efallai, oedd y ffordd hawsaf o beidio â gorfod mynd i'r lluoedd arfog. Nid oeddynt yn fwy duwiol na neb arall, a nhw fel arfer fyddai'n arwain y bywyd cymdeithasol. Dyma gyfnod Triawd y Coleg (Meredydd Evans, Robin Williams a Cledwyn Jones), Islwyn Ffowc Elis y nofelydd, a Huw (Bach) Jones a fyddai'n cogio, yn ystod nosweithiau llawen, ei fod yn ddoli tafleisiwr wrth eistedd ar lin myfyriwr arall mwy ei faint.

Yn yr ail flwyddyn, symudodd Beti a minnau i Gaederwen, sef tŷ mawr a oedd wedi'i droi'n hostel ar Ffordd y Coleg, drws nesaf i'r hostel mawr ac yn rhannu'r un gerddi. Yno cawsom ystafell braf swmpus a dau wely sengl ynddi a thân nwy.

Daeth yr Ail Ryfel Byd i ben yng ngwanwyn 1945, a phenodwyd dydd Mawrth, 8 Mai yn ddiwrnod swyddogol i ddathlu'r achlysur. Ar ôl chwarae â'r syniad o drefnu garddwest y gallai merched yr hostel wahodd eu ffrindiau gwrywaidd iddi, penderfynodd ein warden, Miss Trenery, a oedd yn wraig weddol oedrannus, y byddai'n haws caniatáu i bob merch wahodd ei chariad i gael te gyda hi yn ei hystafell ei hun! A dyna a ddigwyddodd. Cawsom hefyd *Victory Ball* yn Neuadd Prichard-Jones a fu ar gau yn ystod y rhyfel er mwyn storio lluniau gwerthfawr o'r galerïau cenedlaethol ynddi.

Fel y gellid ei ddisgwyl, roedd llawer o'm llythyrau at fy chwaer (a'm *confidante*) yn ystod y blynyddoedd yn rhai personol iawn a braidd yn wirion, yn sôn am fy ysfa i ddod o hyd i fy nghariad delfrydol. Fel pob merch arall, cefais *crushes* ar wahanol rai. (*Pash* o'r gair *passion* oedd y gair a ddefnyddid ar y pryd.) Ond sylweddolais, yn y diwedd, y gallai'r ysfa am *crush* fod ynoch chi cyn cwrdd â gwrthrych addawol i'ch serch, a bod modd magu *crush* ar rywun a'i garu o bell heb siarad ag ef hyd yn oed. Yna, wrth edrych yn ôl flynyddoedd wedyn, methu'n lân â gweld beth ar y ddaear a welsoch chi yn y person hwnnw. Ffrwyth dychymyg yn unig oedd yr holl rinweddau roeddech wedi'u priodoli iddo.

Pan oeddwn yn ferch ifanc, roedd fy syniad am gariad wedi'i seilio ar straeon tylwyth teg fel *Cinderella* a *Snow White* lle bydd tywysog hardd yn dod ar geffyl gwyn ac yn syrthio mewn cariad â'r ferch yn y stori ar unwaith. Yn wir, roedd cân boblogaidd yn bod ar y pryd y byddem yn dawnsio'r *Palais Glide* iddi:

She was sweet sixteen, little Angeline,
Always dancing on the village green.
In her dreams we're told of a lover bold,
Poor little Angeline!

Then one day her prince came a-riding
And he stopped right by her side.
Very soon you could hear him confiding
'I want to make you my bride.'...

Dyna i mi oedd y math o gariad y chwiliwn amdano, ond roedd rhywbeth o'i le â phob un o'r bechgyn a ddangosodd unryw ddiddordeb ynof fi. Roeddynt yn rhy ifanc, yn rhy hen, yn rhy hyll, yn rhy annymunol, neu ddim yn gallu dawnsio neu eisoes wedi'u bachu gan ferch arall. Hyd yn oed os oeddwn i yn eu ffansïo roeddwn i'n rhy swil i agor fy ngheg yn eu cwmni. Serch hynny, mi fûm i ar ddêt gydag ambell un yn ystod fy nghyfnod yn y coleg, yn cynnwys dau a oedd yn astudio i fod yn weinidogion. Parhaodd fy nghyfeillgarwch agos ag un ohonynt am ryw ddwy flynedd nes iddo adael y coleg yn 1946 i fynd i goleg arall i orffen ei hyfforddiant, ond roeddwn yn gwybod o'r dechrau, a minnau'n anffyddwraig, na fuaswn i byth yn gallu bod yn wraig i weinidog.

O ran cred, roedd un peth yn achosi penbleth i mi, sef, os oeddwn i'n iawn nad oedd duw yn bodoli, paham roedd fy holl ffrindiau a chymaint o bobl eraill drwy'r byd yn credu ym modolaeth un (neu fwy)?

Yn ddiweddarach, dechreuais ddarllen pob math o lyfrau wrth geisio dod o hyd i'r gwirionedd, rhai ohonynt gan Gristnogion, ond roedd y broblem yn dwysáu. Gwelwn y neges sylfaenol Gristnogol fel rhywbeth hollol anfoesol ac anghredadwy, sef bod duw hollgyfiawn wedi penderfynu y byddai raid i'w unig fab gael ei aberthu drwy farwolaeth farbaraidd am drosedd nad oedd ef wedi'i chyflawni, a hynny yn lle'r troseddwyr eu hunain. A sut byddai hynny'n gallu sicrhau bywyd tragwyddol i eraill? Lle roedd y cyfiawnder yn hyn? Pwy ond bod creulon gwallgof a fyddai wedi dyfeisio'r fath amod erchyll? A beth oedd y drosedd wreiddiol, beth bynnag? Dwyn afal? Ceisio gwybodaeth?

Dwi wedi clywed am bobl yn cael profiad crefyddol ac yn gwybod wedyn heb amheuaeth fod 'Duw' yn bodoli. Wel, mae gennyf dystiolaeth bersonol bod y fath beth yn gallu digwydd i'r gwrthwyneb hefyd. Un noson cyn mynd i gysgu, roeddwn yn eistedd yn y gwely yn darllen llyfr am grefyddau'r Dwyrain pan drawodd y gwirionedd fel fflach o fellten! Roeddwn yn GWYBOD nad oedd 'Duw' yn bodoli. Llenwyd fi yn syth â theimlad o orfoledd a hapusrwydd gan mai myfi a oedd yn iawn ac a fu'n iawn o'r dechrau. Roedd pob duw a phob crefydd yn ffrwyth dychymyg dyn, a'r prif reswm roedd pobl yn credu ynddynt oedd dylanwad y gymdeithas o'u cwmpas. Wedi'r cwbl, roedd pob baban drwy'r byd yn cael ei eni yn anffyddiwr.

***

Graddiais yn 1946, ond roedd gennyf flwyddyn arall i'w chwblhau ym Mangor er mwyn cymhwyso fel athrawes a dilyn cwrs Diploma mewn Addysg. Yn ystod gwyliau'r haf euthum i Ffrainc ar gyfer priodas fy ffrind, Marie-Jeanne, a hynny yng nghwmni hen ffrind ysgol o Heckmondwike, Kathleen, a oedd yn ymweld â'i chyfeilles ohebol hithau ar ôl i'r rhyfel ddod i ben. Dyna'r tro cyntaf i'r un o'r ddwy ohonom fynd dramor. I dalu am fy nhaith, defnyddiais iawndal o £25 roeddwn wedi'i gael gan y cwmni rheilffordd am iddynt golli cês o ddillad roeddwn wedi'i anfon fel *luggage in advance* i Fangor ar ddechrau'r tymor blaenorol.

Ar ôl cyrraedd adref o Ffrainc, anfonais adroddiad 15 tudalen o hyd at Ron, yn sôn am holl ddigwyddiadau fy nhaith fythgofiadwy. Gan fod y rhyfel drosodd bellach, cafodd Ron ei rhyddhau o'r Llu Awyr a dyna, i bob pwrpas, oedd diwedd fy llythyrau hir ati.

Cyn dychwelyd i Fangor roedd yn rhaid i mi wneud pythefnos o ymarfer dysgu mewn ysgol yn Liversedge, ac fe'm danfonwyd i Millbridge Upper School, yr ysgol yr awn iddi pan oeddwn yn blentyn. Roedd Miss Higgins, yr athrawes lem a arferai roi cansen i ni, dal yno, a rhoddwyd fi dan ei gofal i gymryd ei dosbarth. Mae'n amlwg fod y ddwy ohonom wedi aeddfedu yn y cyfamser. Roedd y gansen wedi hen ddiflannu a deuthum i edrych arni fel athrawes ardderchog.

Yn ôl ym Mangor doedd dim digon o le bellach yn yr hosteli ar gyfer myfyrwyr y bedwaredd flwyddyn, a chafodd Beti a minnau le mewn llety nid nepell o'r coleg gyda dwy ferch arall, Mai Edwards o Sir Benfro a Jean Kelly o Ruddlan. Roedd llwyth o fyfyrwyr gwahanol wedi cyrraedd y coleg i ymuno â'r adran hyfforddi athrawon, sef y rhai a oedd wedi dychwelyd o'r lluoedd arfog ar ôl y rhyfel, yn ogystal â'r rhai hynny a fu'n wrthwynebwyr cydwybodol, a Geraint yn eu mysg. Bu Geraint yn gweithio ar wahanol ffermydd drwy gydol y rhyfel ac roedd eisoes yn 31 oed. Flynyddoedd wedyn, dywedodd wrthyf ei fod wedi dod i Fangor am ddau bwrpas, i hyfforddi fel athro ac i chwilio am wraig.

O'm safbwynt i o leiaf, nid cariad ar yr olwg gyntaf oedd hi o bell ffordd. Gwrthodais sawl gwahoddiad i fynd allan gydag ef, er iddo newid o gymryd cerddoriaeth fel un o'i bynciau ymarferol i astudio celf, er mwyn eistedd wrth fy ymyl yn y dosbarth hwnnw.

Ond daeth yr amser i mi wahodd rhywun i fod yn bartner yn nawns ffurfiol yr hostel. (Er nad oeddem yn yr hostel bellach, roeddem dal yn cael ein hystyried yn rhan o'r criw). Doedd gennyf ddim cariad yn y coleg bellach, ac roedd merched eraill yn fy annog i wahodd Geraint. 'He'll be delighted,' dywedent, 'and he's already an M.A. and has won the chair at the National Eisteddfod. You should be proud to have him as your partner!'

Dwi'n credu bod teimlo'n falch o rywun yn chwarae rhan bwysig wrth ddewis cariad, er nad oedd ennill y gadair yn golygu dim byd i mi ar y pryd. Doeddwn i erioed wedi bod i Eisteddfod Genedlaethol nac yn gwybod beth oedd un. Ond, yn y diwedd, rhoddais wahoddiad iddo, ac fel y bu i'r merched ddarogan, roedd wrth ei fodd. Ar ôl y ddawns, dywedodd wrthyf ei fod wedi tynnu'n ôl o drefniadau eraill y noson honno i gael cinio gyda pharti o newyddiadurwyr Americanaidd a oedd am ei holi ynglŷn ag ennill y gadair, er mwyn dod gyda fi. Teimlais felly nad oedd dewis gennyf bellach ond derbyn gwahoddiad ganddo i gwrdd ag ef eto i fynd i'r sinema. A dyna sut dechreuodd ein perthynas.

Un peth a'm trawodd o'r dechrau oedd ei ddifrifoldeb. Doedd dim byd ysgafn na gwirion yn ei sgwrs. Arferai sôn am hanes Cymru a'i llenyddiaeth – pynciau braidd yn ddiflas ar gyfer noson allan – ac ef oedd y cyntaf i wneud ymdrech go iawn i siarad Cymraeg â mi. Doedd e ddim yn berson a oedd yn hoffi cymdeithasu ryw lawer a doedd e byth yn mynd i'r dafarn nac yn ysmygu. Er ei fod yn rhannu llety gyda bechgyn eraill, doedd dim ffrind agos ganddo yng ngholeg Bangor, oni bai amdanaf i.

Deuthum i sylweddoli bod ein chwaeth mewn amryw o bethau yr un fath. Roedd y ddau ohonom yn hoffi lliwiau tawel fel *beige*, dodrefn lliw golau a phethau syml diaddurn. Roedd yn gas gennym foethusrwydd dianghenraid. Roeddem yn cytuno â'n gilydd hefyd ynglŷn â phob math o bynciau, yn cynnwys gwleidyddiaeth a chrefydd. Er syndod a phleser i mi, cyfaddefodd ei fod yntau'n anghredadun, ond doedd e ddim wedi lleisio hynny'n agored rhag ofn iddo frifo ei deulu, gan fod ei dad yn weinidog gyda'r Annibynwyr, ei ewythr yn weinidog gyda'r Bedyddwyr, a dau o'i frodyr yn offeiriaid gyda'r Eglwys Anglicanaidd.

Edmygai'n fawr ewythr arall iddo, sef y bardd ifanc, toreithiog, Ben Bowen o'r Rhondda. Daethai Ben yn ail yng nghystadleuaeth y goron yn Eisteddfod Genedlaethol 1900 pan oedd yn 22 oed, ond bu farw o'r diciâu dair blynedd yn ddiweddarach. Roedd yntau'n dipyn o rebel o ran ei syniadau am grefydd. Medd y *Bywgraffiadur Cymreig* amdano:

Ymddiddorai yn syniadau gwyddonol ei ddydd a'u harwyddocâd diwinyddol... Parodd ei erthyglau (ar bynciau athrawiaethol) mewn cyfnodolion Cymraeg ddadlau chwerw ac ymosodiadau personol.
   Wedi iddo ddychwelyd i Gymru [o Dde Affrica lle treuliodd ryw ddeunaw mis oherwydd ei afiechyd] diarddelwyd ef gan ei eglwys, Moriah, Pentre.

Wrth edrych ar gerdd arbennig gan Ben Bowen, sef 'Sabbath ar y Môr' (1901), dwi'n synnu pa mor gyfoes a pherthnasol i ni heddiw oedd ei syniadau. Meddai:

Beth yw Duw ond enw ar amherffeithrwydd deall dyn?...
Y mae'r Dwyfoldeb a welid oesau'n ôl gan deidiau imi'n llanw bryn a phant, yn marw ar doriad dydd gwyddoniaeth fyth... Mae'r byd wrth ennill ffeithiau'n colli ffydd.

Serch hynny, dwi'n ymwybodol mai dim ond pan oedd ef yng nghanol y môr, ymhell o ddylanwadau'r gymdeithas gapelog Gymreig, y teimlai'n ddigon rhydd i siarad fel hynny. Fel arall, roedd y pwysau i gydymffurfio â thraddodiadau crefyddol ei famwlad yn amlwg yn ei farddoniaeth. A dweud y gwir, mae Ben Bowen ei hun yn crynhoi ei benbleth yn llinell gyntaf y gerdd uchod, sef 'Erioed yn mynnu credu ac erioed yn gorfod amheu'.

***

Erbyn tymor yr haf 1947, roedd hi'n amser i ni'r myfyrwyr a oedd yn eu tymor olaf ddechrau chwilio am swyddi yn y byd mawr y tu allan i'r coleg. Llwyddodd Geraint i gael swydd fel athro Cymraeg yn Ysgol Ramadeg Rhiwabon, Sir Ddinbych, i ddechrau ym mis Medi. Roedd yn awyddus iawn i ni briodi cyn hynny. Ond, yn y cyfamser, ar ddechrau Mehefin, daeth cais i goleg Bangor yn gofyn iddynt ddanfon rhywun ar frys i Ysgol Uwchradd Porth Tywyn, Pen-bre i ddysgu Cymraeg yno tan ddiwedd tymor yr haf, ac roedd Geraint yn falch iawn o gael mynd yno i ennill tipyn o arian.

Tra oedd yno, arhosai gyda'i ewythr, y Parch. David Bowen (Myfyr Hefin), a'i deulu, yn Llanelli. Ceisiodd ei ewythr, gyda pheth llwyddiant, berswadio Geraint i beidio â phriodi Saesnes. A bu bron i mi ysgrifennu yn ôl a dweud nad oedd angen iddo boeni am nad oeddwn eisiau ei briodi beth bynnag. Ond roeddem eisoes wedi trefnu i fynd i Eisteddfod Genedlaethol Bae Colwyn gyda'n gilydd ddechrau Awst ac wedi trefnu lle mewn gwesty yno am yr wythnos – dwy ystafell sengl wrth gwrs!

Bu llawer o sôn am aeaf caled 1947 a'i holl eira, ond roedd haf digwmwl y flwyddyn honno yn un hir a chrasboeth. Aeth y ddau ohonom â'n beiciau ar y trên i Fae Colwyn, a seiclo i bobman, i'r Eisteddfod Genedlaethol wrth gwrs, lle cafodd Geraint ei dderbyn i'r Orsedd, a hefyd i leoedd o ddiddordeb hanesyddol neu o brydferthwch naturiol yn yr ardal.

Roedd gennyf gyfweliad ar gyfer dysgu yng Ngholeg Technegol Amwythig yn fuan wedi hynny, ond fe'm perswadiwyd gan Geraint i anfon telegram yn dweud nad oeddwn am fynd, ac i'w briodi ef ac aros yng Nghymru. Roeddwn i'n sylweddoli fy mod i wedi cyrraedd croesffordd yn fy mywyd, ac yn gwybod fy mod i am aros yng Nghymru, a fy mod i hefyd yn rhy ofnus i wynebu bywyd mewn lle dieithr ar fy mhen fy hun heb Geraint.

Prynwyd modrwy ddyweddïo a modrwy

briodas yr un diwrnod, ac, ar ddiwedd yr wythnos, aethom â'n beiciau ar y trên i lawr i Sir Aberteifi i gwrdd â theulu Geraint.

Arhosom ni gyda chwaer Geraint, Luned, a'i gŵr Dewi, a'u merch fach, Eleri, a oedd tua phedair oed, yn Nhŷ'r Ysgol, Cross Inn, Llan-non, lle roedd Dewi yn brifathro.

Un diwrnod aethom gyda'r teulu bach ar y bws i Geinewydd, lle roedd Geraint wedi'i fagu, i gwrdd â'i rieni ac aelodau eraill o'r teulu. Roedd tad Geraint (Orchwy) wedi bod yn dioddef â'i galon ers sawl blwyddyn, a'i fam (Ada) yn dioddef o ddimensia. Aeth un o chwiorydd Geraint ati i wneud *rock cakes*, agorwyd tun mawr o ellyg, a chawsom de yn yr ystafell ffrynt fawr. Synnais i weld sut roedd yr ystafell wedi'i dodrefnu. Yr unig bethau ynddi oedd rhyw ddeg o gadeiriau barddol, a enillwyd gan Orchwy mewn eisteddfodau lleol, wedi'u trefnu mewn cylch o amgylch waliau'r ystafell, ac, yn eu canol, ford fawr, gron. Roeddwn yn meddwl am eiliad fy mod i wedi cyrraedd neuadd y Brenin Arthur.

Ar ôl te aeth Geraint a minnau i lawr i'r traeth gyda Gelert, ei gi defaid a adawodd gyda'i rieni pan adawodd y ffarm. Unwaith eto roedd yr awyr yn ddigwmwl braf, a chawsom brynhawn wrth ein boddau yn cerdded ar y cei, yn eistedd ar y traeth ac yn taflu ffyn i'r môr er mwyn i Gelert nofio i'w nôl. Teimlwn fy mod wedi cyrraedd y nefoedd.

Bywyd Priodasol yn Sir Ddinbych

GADAWSOM SIR ABERTEIFI a mynd i Swydd Efrog ar y trên i gwrdd â fy nheulu innau yn ein bwthyn yn Liversedge ac i drefnu ein priodas ddiwedd mis Awst. Doeddwn i ddim wedi meddwl am gael unrhyw fath o seremoni briodas heblaw'r math a gafodd fy nhad a mam, sef mynd yn ddiffwdan i'r swyddfa gofrestru leol yn Dewsbury a chael ein priodi gan y cofrestrydd. A dyna a ddigwyddodd. Doedd y cofrestrydd ddim hyd yn oed yn fodlon ein bod ni wedi dod â thri pherson gyda ni, sef fy nhad, fy mam a fy chwaer, yn lle dau yn unig i weithredu fel tystion, a dywedodd wrth fy chwaer i fynd i eistedd yng nghefn yr ystafell.

Doedd gennym ddim dillad crand, dim ond siwtiau trwsiadus a fyddai'n ddefnyddiol i ni fel athrawon ysgol wedi hynny. Ni chawsom wledd briodas na gwesteion chwaith. Am un peth doedd dim arian gennym, ac roedd rhieni Geraint yn rhy sâl i deithio yno beth bynnag.

Wedi cyrraedd yn ôl i'r tŷ, aeth Geraint a minnau ati i olchi'r llestri brecwast a oedd wedi'u gadael yn y sinc, a danfonwyd fy chwaer gan fy mam i siop y ffarm drws nesaf i nôl pum treiffl bach, chwe cheiniog yr un, mewn cartonau. Ni chafwyd llun priodas, ond ar ddiwedd y mis canlynol, ar ôl i Geraint gael ei gyflog cyntaf fel athro yn Rhiwabon, aeth y ddau ohonom at ffotograffydd yn Wrecsam i gael tynnu llun yn ein dillad priodasol.

Doedd dim arian ar gyfer mis mêl ychwaith ond, ar noson ein priodas, teithiom ni dros nos ar y trên i lawr i Geinewydd unwaith eto i dreulio wythnos o wyliau yno, gan fod rhieni Geraint wedi mynd i aros gyda chwaer ei fam, Bopa Jên, yn Nhreorci. Yna ar ddechrau Medi, ddeuddydd cyn i Geraint ddechrau ar ei waith fel athro yn Ysgol Ramadeg y Bechgyn, Rhiwabon, teithiom i'r dref fach honno i chwilio am le i aros, heb wneud trefniadau o flaen llaw.

Buom yn ddigon lwcus i gael dwy ystafell wedi'u dodrefnu mewn tŷ gweddw oedrannus yn Rhiwabon. Yn ffodus, roedd ychydig o'r arian roeddwn wedi'i gael fel benthyciad i fynd i'r brifysgol dal yn fy nghyfrif banc, a bu raid i ni ddefnyddio hwnnw i fyw arno tan i Geraint gael ei gyflog ar ddiwedd y mis.

Ar ein diwrnod cyntaf yno dywedodd ein

lletywraig ei bod hi'n aros am Miss Jones, athrawes newydd yn Ysgol Ramadeg y Merched, a oedd wedi gwneud trefniadau i aros gyda hi hefyd. Gofynnodd i Geraint a minnau a fyddem yn fodlon mynd i'r orsaf i gwrdd â'i thrên. Ar ôl holi ymhellach, daeth i'r amlwg mai Beti, fy ffrind o Fynytho, ydoedd. Gwyddem, wrth gwrs, ei bod hithau wedi cael swydd yn Rhiwabon, ond doedd dim syniad gennym ble roedd hi'n mynd i letya. Doedd dim ffonau symudol na negeseuon testun y dyddiau hynny!

Doedd dim swydd gennyf i, wrth gwrs, ond daeth Beti adref un noson yn ystod yr wythnos gyntaf a dweud bod angen athrawes pynciau cyffredinol ar frys yn Ysgol y Merched. Gofynnodd y brifathrawes a fyddai gennyf ddiddordeb ac a fyddwn i'n fodlon mynd i'r ysgol drannoeth i gael cyfweliad. Cyfweliad od iawn oedd hwnnw. Y peth cyntaf a ddywedodd y brifathrawes wrth i mi gyrraedd ei hystafell oedd, 'Oh, Mrs Bowen, thank goodness you've come. Will you go and take form three for arithmetic?'.

Y mis Medi hwnnw roedd y tywydd yn dal yn braf a byddai Geraint a minnau yn bwrw'r Sul trwy fynd ar ein beiciau o gwmpas y wlad i weld lleoedd fel Llangollen, Abaty Valle Crucis a Chastell Dinas Brân. Un diwrnod, dwi'n cofio croesi o Langollen dros y bryn i

Ddyffryn Ceiriog. Roedd yr haul yn boeth, y ffordd gul yn droellog ac yn serth, a minnau'n rhy wan a blinedig i wthio fy meic i fyny'r rhiw. Cydiodd Geraint yn y ddau feic, un ym mhob llaw a'u gwthio i fyny'r rhiw hir. Dwi wedi meddwl am y weithred honno yn aml yn ystod fy oes. Troes yn symbol i mi o'r ffordd roedd Geraint bob amser yn fodlon cymryd llawer o'r baich oddi ar fy ysgwyddau i yn y prosiectau roeddwn i'n ymgymryd â nhw, fel y rhai yn ymwneud â Merched y Wawr, yr iaith Lydaweg a Dyneiddiaeth. Ond, wrth feddwl am hyn, roedd yr un peth yn wir amdanaf i hefyd; byddwn bob amser yn ceisio gwneud fy ngorau i helpu Geraint yn ei brosiectau ef, fel y rhai yn ymwneud â Plaid Cymru, *Y Faner* a'r Orsedd.

Swydd ran-amser a oedd gennyf yn Ysgol Rhiwabon, ond cyn hir cefais swydd lawn-amser yn Ysgol Ramadeg i Ferched, Grove Park, Wrecsam.

Yn Ysgol Rhiwabon, daethai Geraint yn ffrindiau â'r athro Cemeg, W. J. Bowyer, a oedd yn byw yn Rhosllannerchrugog. Dyn diwylliedig iawn ydoedd a ymddiddorai mewn llenyddiaeth Gymraeg a Saesneg, a llawer o bethau eraill yn ogystal â gwyddoniaeth. Roedd yn weithgar dros y gangen leol o Blaid Cymru a hefyd dros gapel yr Annibynwyr, Mynydd Seion, yn y Ponciau.

Beth amser ar ôl i ni fynd i fyw i Riwabon, daeth tŷ gweinidog Mynydd Seion, sef Tegfan, yn y Rhos, yn wag a threfnwyd i ni a chwpl ifanc arall, Dilys ac Emrys Parry a oedd yn aelodau yn y capel, rannu'r tŷ rhyngom. Wrth gwrs, teimlai Geraint fod dyletswydd arno wedyn i ddod yn aelod ym Mynydd Seion.

Roedd Tegfan fel blwch sgwâr ac iddo bedair ystafell i lawr y grisiau, pedair i fyny'r llofft a choridor drwy'r canol. Penderfynwyd rhannu'r tŷ gyda'r coridor, er mwyn i'r naill gwpl a'r llall gael dwy ystafell ar y llawr gwaelod a dwy i fyny'r grisiau. Roedd hyn yn drafferthus gan nad oedd sinc yn yr ystafell a ddefnyddiai Geraint a minnau fel cegin, felly roedd yn rhaid i ni fynd i fyny i'r ystafell ymolchi i nôl pob diferyn o ddŵr ac i olchi'r llestri. Doedd dim peiriant golchi dillad gennym ychwaith, ac roedd yn rhaid i mi olchi popeth, yn cynnwys y cynfasau gwely, â llaw yn y bàth.

Oherwydd yr angen i ni arwyddo siec bob mis i ad-dalu'r benthyciad roeddwn wedi'i gael i fynd i'r brifysgol, doedd dim arian gennym i brynu dodrefn newydd fel roedd Dilys ac Emrys wedi'i wneud. Bu raid i ni ddygymod ag ychydig bethau angenrheidiol ail-law, fel gwely, bwrdd ac ambell gadair. Doedd dim posib cael wardrob na bwrdd gwisgo y tro hwn, a bu raid i ni gadw ein dillad mewn bagiau a bocsys.

Er gwaethaf yr holl anawsterau, mae gennyf rai atgofion melysach o'r cyfnod hwnnw, penwythnosau braf yn cerdded i Fynydd y Rhos i gasglu llus, neu fynd allan i'r wlad ar ein beiciau i gael picnic. Yn ystod yr wythnos byddai Geraint yn seiclo i'r ysgol yn Rhiwabon bob dydd, a minnau'n mynd ar y bws i'r ysgol yn Wrecsam.

Ddechrau'r mis Awst canlynol, roeddem ar ein gwyliau yng Ngheinewydd gyda thad a mam Geraint ac yn gwrando ar seremoni'r coroni ar y radio. Pan gyhoeddwyd enw'r bardd buddugol, sef y Parchedig Euros Bowen, brawd Geraint, bu bron i'w dad gael trawiad arall ar y galon! Syrthiodd yn ôl i'w gadair, a gofynnwyd i mi redeg i'r gegin i nôl cwpanaid o ddŵr iddo.

Wrth sôn am dad Geraint (Orchwy), diddorol yw sylwi bod David N. Thomas yn ei lyfr, *The Dylan Thomas Trail*, yn cyhoeddi llun ohono ac, yn dilyn dyfyniad o *Under Milk Wood* lle mae sôn am y Parchedig Eli Jenkins a'i gerddi, mae'n dweud:

But wait. Listen. You alone can hear the strictly metred verses of the Rev. Orchwy

Bowen of Towyn chapel that stands proud above the car park within sinning distance of the Seahorse. Bowen was a preacher-poet, like Eli Jenkins, he also had bardic white hair and was a familiar figure about the town in Dylan's day. He published poetry and was a regular competitor in the county eisteddfodau. His sons Geraint and Euros won the Chair and Crown in post-war National Eisteddfodau. Could Dylan have had a better model for Eli Jenkins?

***

Ym mis Hydref 1948, ganed meibion yr un wythnos i ninnau ac i'r cwpl ifanc a oedd yn rhannu tŷ gyda ni. Doedd dim clytiau taflu i ffwrdd i fabanod bryd hynny, dim ond rhai o ddefnydd tywel, ac roedd yn rhaid i mi olchi'r rheiny bob dydd yn y tŷ bach! Gan nad oeddwn i yn mynd allan i weithio bellach, roedd arian yn brinnach byth.

Hyd yn oed cyn i Rhys, ein mab, gael ei eni, roeddwn wedi dechrau mynd trwy gyfnod o iselder ysbryd a byddwn yn deffro yn y nos yn beichio crio. Cyngor y meddyg i Geraint oedd fy nhrin yn llym, a gweiddi arnaf. Rai misoedd wedyn, clywsom, yn eironig ddigon, fod y meddyg ei hun wedi gorfod mynd am driniaeth i ysbyty seiciatryddol.

Aethom fel teulu bach i dreulio'r Nadolig

y flwyddyn honno, sef 1948, gyda fy rhieni yn Swydd Efrog, ond tra oeddem yno daeth telegram oddi wrth chwaer Geraint yn dweud bod ei dad wedi marw o drawiad ar y galon ac i ni fynd i Geinewydd ar unwaith.

Ar ôl yr angladd, rhaid oedd clirio'r tŷ, a oedd yn eiddo, wrth gwrs, i gapel Towyn lle bu tad Geraint yn weinidog, a phenderfynu beth i'w wneud ynglŷn â mam Geraint a oedd, fel rwyf eisoes wedi'i grybwyll, yn dioddef o ddimensia. Er bod ganddi chwaer a saith o blant, tri yn unig ohonynt a oedd yn fodlon ei chymryd hi i fyw gyda nhw yn eu tro, sef ei chwaer Bopa Jên, Euros a Geraint. Daethom â chi defaid Geraint, Gelert, adref gyda ni hefyd.

Nid peth hawdd oedd ymdopi â baban a oedd yn dechrau cropian a cherdded o amgylch y dodrefn, mam-gu ddryslyd a chi mawr mewn tŷ roeddem yn ei rannu â theulu arall, yn enwedig gan fod Mam-gu yn gwrthod cael ei gadael ar ei phen ei hun ac yn mynd i banig. Roedd hi'n mynnu cysgu yn yr un ystafell â Geraint a minnau, a hyd yn oed yn ystod y dydd pan oedd Geraint yn yr ysgol, os oeddwn am fynd i'r tŷ bach, roeddwn i'n gorfod mynd â Mam-gu a Rhys gyda fi. Dwi'n cofio un diwrnod, pan oedd Rhys yn chwarae'n dawel â'i deganau yn yr ystafell fyw a Mam-gu'n cysgu mewn cadair yn ei ymyl, mi fentrais allan o'r ystafell i nôl rhywbeth o'r llofft. Yn sydyn, clywais Mam-gu yn gweiddi ac yn curo ar ddrws caeedig yr ystafell fyw, a Rhys yn dechrau sgrechian gyda hi. Rhedais i lawr y grisiau atynt i ddarganfod bod un ohonynt wedi llwyddo i symud y glicied a chloi drws yr ystafell o'r tu mewn. Doedd dim iws i mi geisio cyfathrebu'n synhwyrol â Mam-gu drwy'r drws, ond yn y diwedd llwyddais i dawelu'r sefyllfa a dweud wrth Rhys, 'Rho dy fys yn y twll'. Drwy ryw wyrth, rhoddodd ef ei fys yn nhwll y glicied a'i symud i ddatgloi'r drws.

Dyna oedd ein hamodau byw pan glywodd Geraint, ychydig wythnosau yn unig cyn Etholiad Cyffredinol 1950, ei fod wedi'i ddewis fel ymgeisydd Plaid Cymru yn etholaeth Wrecsam. Roedd yn arferiad gan y Blaid bryd hynny ddewis ymgeiswyr a oedd yn adnabyddus ym mywyd diwylliannol y Cymry Cymraeg, fel Islwyn Ffowc Elis er enghraifft.

Am flynyddoedd cyn i ni briodi roedd Geraint wedi bod yn aelod selog o Blaid Cymru. Roedd y rhan fwyaf o'n ffrindiau newydd yn y Rhos hefyd yn weithgar gyda'r Blaid, pobl fel Lewis Valentine, Meredith Edwards (yr actor), y teulu Bowyer, Ambrose ac Ada Thomas, ac Edward ac Olwen Jones a'i deulu a oedd yn byw drws nesaf i'r 'Stiwt'

(*Miners' Institute*) ac yn cadw siop llyfrau Cymraeg yno. Roedd Edward hefyd yn gweithio mewn siop gwerthu clociau yn Wrecsam, er nad oedd cloc ganddynt yn eu tŷ eu hunain gan fod y cloc mawr uwchben y 'Stiwt', a arferai daro'r awr, i'w weld drwy bob ffenestr. 'Nain y Cloc' oedd enw Rhys ar fam Olwen a fyddai'n ei warchod weithiau.

Roedd Geraint yn gwybod o'r dechrau, wrth gwrs, nad oedd gobaith o gwbl iddo gael ei ethol. Doedd dim un ymgeisydd Plaid Cymru wedi'i ethol yn aelod seneddol bryd hynny, a dyna'r tro cyntaf hefyd i'r Blaid fentro cael ymgeisydd yn etholaeth Wrecsam a fu'n sedd ddiogel i'r Blaid Lafur ers blynyddoedd. Ond teimlai Geraint ddyletswydd i ddefnyddio'r etholiad i geisio ennyn diddordeb ym Mhlaid Cymru, a chefnogaeth iddi yn yr ardal. Heb feddwl dwywaith, daeth Euros a'i wraig, Neli, yn syth, i fynd â Mam-gu yn ôl gyda nhw i Langywair.

Doedd dim arian gwerth sôn amdano yng nghoffrau'r Blaid, a bu raid cynnal ffeiriau sborion a phob math o weithgareddau eraill i gael digon o gyllid i ymladd yr etholiad. Yn ystod yr etholiad ei hun, defnyddiwyd ein hystafell ffrynt ni fel swyddfa i'r Blaid. Tan yr wythnos olaf, parhaodd Geraint i ddysgu yn Rhiwabon yn ystod y dydd cyn mynd allan fin nos i annerch mewn cyfarfodydd. Yn ffodus, roedd ganddo lais cryf y gellid ei glywed o bell.

Yn ogystal â'r gwaith tŷ a gofalu am y baban, roedd fy nyletswyddau i yn cynnwys gwneud bwyd a diod i'r gwahanol bobl a ddeuai i weithio yn y swyddfa; helpu gyda'r gwaith o gyfeirio amlenni ac yn y blaen; mynd allan gyda gyrrwr y fan uchelseinydd (a Rhys ar fy nglin) i fyny ac i lawr y strydoedd yn gwneud cyhoeddiadau am gyfarfodydd; ac weithiau'n gwneud anerchiadau gwleidyddol fy hun i lenwi bwlch lle roedd angen. Gan nad oedd neb o dan 21 oed yn cael pleidleisio bryd hynny, y tro cyntaf i mi erioed bleidleisio mewn etholiad cyffredinol oedd pan bleidleisiais dros fy ngŵr fy hun. Ymgeisydd y Blaid Lafur a enillodd, wrth gwrs. Roedd yr holl brofiad yn straen mawr ar Geraint a minnau fel ein gilydd, a bu bron i mi gael chwalfa nerfol. Er i Geraint gael gwahoddiad i sefyll eto dros Blaid Cymru yn yr Etholiad Cyffredinol nesaf, gwrthododd yn bendant.

Yn fuan ar ôl yr etholiad, cawsom wybod gan ddiaconiaid y capel eu bod yn bwriadu dewis gweinidog, a byddai'n rhaid i ni, a'r cwpl arall, adael y tŷ a chwilio am le arall i fyw. Roedd tai dal yn brin ar ôl y rhyfel a doedd gan yr un ohonom arian i brynu tŷ beth bynnag. Dwi'n cofio Geraint yn cerdded i weld rhyw dŷ a oedd ar werth â thwll ganddo yng ngwadn ei esgid am nad oeddem yn gallu fforddio ei drwsio. Ond, ar ôl chwilio a holi, llwyddom ni a'r teulu bach arall i gael dau dŷ ar wahân i'w rhentu yn y Ponciau, y pentre nesaf at Rosllannerchrugog.

Ymddiheuraf os bydd fy atgofion o 13 Aberderfyn, ein tŷ yn y Ponciau, braidd yn ddiflas ac yn anghysurus, ond dyna, mae'n debyg, sut roeddwn yn teimlo ar y pryd. Doedd dim bai o gwbl ar ein cymdogion. Pobl garedig a chymwynasgar oedd pob un ohonynt.

Un peth nad oeddwn wedi gallu osgoi sylwi arno ynglŷn ag ardal Rhiwabon, Rhos a Wrecsam oedd fod y rhan fwyaf o'r tai a'r adeiladau eraill wedi'u codi â briciau lliw coch llachar, sef briciau Rhiwabon. I rywun fel fi a oedd wedi arfer â hen dai cerrig Swydd Efrog, edrychent yn annymunol iawn, ac roedd y lliw yn gwneud i mi deimlo'n sâl.

Roedd y tŷ a gawsom yn y Ponciau, fel yr un yn y Rhos, hefyd wedi'i wneud o'r un briciau coch. Roedd digon o ystafelloedd ynddi ac, o'r diwedd, sinc i ni ein hunain yn y gegin, er bod hwnnw'n un bas, wedi'i wneud o garreg frown ac yn hen iawn. Doedd dim trydan yn y tŷ gan fod y wraig a oedd yn berchen arno yn weddw i swyddog yn y bwrdd nwy. Yr unig beth a oedd gennym i goginio arno oedd cylch nwy gan nad oedd y popty tân yn gweithio. Doedd y tân ei hun ddim yn gafael ychwaith i gynhesu dŵr y bàth, ac roedd y gegin yn oer ac yn ddrafftiog – doedd dim sôn am wres canolog mewn tai bryd hynny. I goroni'r cwbl, roedd y cypyrddau cadw bwyd i gyd yn llawn o chwilod duon. Llwyddom i gael gwared â'r rhain drwy ddefnyddio powdwr Borax. Bob yn dipyn, fe lwyddom i wneud y tŷ yn weddol gyfforddus a phrynu dodrefn newydd yn cynnwys wardrob a bwrdd gwisgo! Penderfynom dalu ein hunain er mwyn gosod peth trydan yn y tŷ.

Mae rhywbeth a ddigwyddodd ar un diwrnod arbennig yn y cyfnod hwnnw wedi aros yn y cof. Roedd Geraint yn gweithio wrth fwrdd yr ystafell fyw, yn ysgrifennu rhan o'i draethawd hir a oedd yn ymwneud â hanes llenyddiaeth y Reciwsantiaid, y Catholigion Cymraeg yn oes Elizabeth I a wrthodai fynychu gwasanaethau Eglwys Loegr. Roedd Rhys yn cysgu yn ei bram yn yr un ystafell ac roeddwn i wedi mynd i'r llofft i lanhau'r ystafelloedd gwely. Yna, mi glywais sŵn rhywun yn gweiddi'n dawel yn yr iard gefn. Edrychais drwy ffenestr y llofft a gweld rhyw ddyn dieithr yn ymddwyn yn rhyfedd ac yn agor a chau drysau'r cwt glo a siediau eraill. Roedd e'n edrych yn wallgo. Yna, aeth i mewn i'r tŷ drwy'r drws cefn. Rhedais i lawr y grisiau ac i'r stafell fyw. Roedd y dyn, a'i lygaid dychrynllyd ar agor led y pen, wedi codi Rhys o'i bram. Dywedodd ei fod yn mynd ag ef i ffwrdd. Roedd Geraint fel petai wedi'i ludio i'r gadair mewn arswyd, a'i wyneb fel marmor. Heb feddwl ddwywaith, dywedais wrth y dyn, 'Dwi'n credu bod angen newid clwt y baban; gwell i mi wneud hynny cyn i chi fynd ag ef'. Cymerais Rhys oddi wrtho, mynd allan trwy'r drws a rhedeg i'r tŷ drws nesaf i nôl cymorth.

Erbyn i ni gyrraedd yn ôl roedd y dyn wedi gadael. Ond ffoniodd y cymydog yr heddlu, daliwyd y dyn ac aethpwyd ag ef i'r ysbyty meddwl. Rai misoedd wedi hynny, roedd y dyn wedi gwella a daeth yn ôl i'r tŷ i ymddiheuro. Dywedodd ei enw wrthym ac, yn rhyfedd iawn, pan ailgydiodd Geraint yn y darn o bapur yr oedd wedi nodi arno enwau'r ysgrifenwyr Pabyddol Cymraeg cyn y digwyddiad, sylwom fod gan y llenor olaf ar y papur yr un enw â'r dyn gwallgo.

Ganed ail fab i ni, Steffan, yn 1951. Pan ddaeth yr amser i Rhys ddechrau yn yr ysgol, roedd Geraint yn awyddus iddo fynd i Ysgol Gymraeg Wrecsam. Roedd hynny yn golygu bod yn rhaid i mi fynd ag ef i Wrecsam bob bore ar y bws, a Steffan gyda ni, a'i nôl adref yn yr un modd am hanner awr wedi tri.

Roedd Geraint dal i ddefnyddio ei feic i fynd i Ysgol Rhiwabon, ond, wedi cyfnod hir o straffaglu â bysiau, trenau a beiciau, dechreuom drafod prynu hen gar ail-law. Roedd arian dal yn brin gan nad oedd athrawon yn ennill rhyw lawer y dyddiau hynny, a dwi'n cofio Rhys bach yn dod atom â swllt o'i arian poced ac yn ei gynnig i Geraint tuag at y gost o brynu car!

Roedd Geraint wedi dewis gwaith coed yn rhan o'i gwrs addysg yng Ngholeg Bangor. Yn Ysgol Rhiwabon, felly, byddai'n treulio pob amser cinio yng ngweithdy'r ysgol, yng nghwmni'r athro gwaith coed, yn gwneud pethau fel coes lamp bwrdd, model o gwch hwyliau, a thelyn fach.

Un o'r pethau mwyaf mentrus a wnaeth yn y maes hwn oedd yr hyn roeddem yn ei alw'n ganŵ, ond a oedd, mewn gwirionedd, yn gaiac 17 troedfedd o hyd, ac yn ddigon mawr i ddal Geraint a minnau a'n dau fab i gyd ar unwaith. Roedd gan y canŵ hwylbren a hwyliau, llyw pren ac astell ganol, yn ogystal â rhodlau. Roedd modd datod y ffrâm bren fewnol a phlygu'r croen cynfas a rwber er mwyn rhoi'r cwbl ar do'r car. Am 30 mlynedd a rhagor, treuliwyd llawer o oriau yn canwio ar y môr neu ar lynnoedd ac afonydd, yng Ngheinewydd, yn Abersoch, ar afon Dyfrdwy, ar Lyn Myngul, a hyd yn oed ar afon Menai.

Pan oedd Steffan yn ddigon hen i fynd i'r ysgol gyda'i frawd, cefais swydd ran-amser yn dysgu Ffrangeg, Saesneg ac addysg gorfforol mewn ysgol breifat yng Nghroesoswallt. Dwi'n cofio mai naw punt yr wythnos am dridiau o waith oedd y cyflog ac, o'r cyflog hwnnw, rhaid oedd talu i deithio ar y bws, siwrne o awr yno ac awr yn ôl. Ond roedd fy enillion yn ddigon i ni brynu peiriant golchi dillad am y tro cyntaf, a phopty trydan hefyd.

Yn ddiweddarach, prynwyd *caravette* sef carafán fach iawn (yr unig un y gallem ei fforddio) a'i chefn yn agor i gysylltu estyniad. Yn ystod gwyliau'r haf, teithiwyd, a'r *caravette* y tu ôl i'r car, i sawl man yng Nghymru ac ar gyfandir Ewrop.

Hyd yn oed mewn lleoedd amlwg fel sgwâr Eglwys Sant Pedr yn Rhufain a phromenâd enwog Nice, doedd dim llawer o ymwelwyr, ac roedd modd mynd â'r car a'r *caravette* yr holl ffordd at y lle, a pharcio yno'n ddidrafferth.

Ar rannau helaeth o'r cyfandir, a'n gwlad

ninnau o ran hynny, doedd dim gwersylloedd swyddogol yn unman bryd hynny i aros dros nos, a byddai raid cael caniatâd ffarmwr i aros yn un o'i gaeau, neu ganiatâd maer pentre neu dre i aros noson ar dir eglwys lle roedd ffynnon, neu stadiwm bêl-droed â cyfleusterau addas. Dwi'n cofio aros yn Llydaw unwaith mewn mynwent eglwys fach yn y wlad a chael ein deffro bore trannoeth gan ferched y pentre ar eu gliniau yn golchi eu dillad yn nŵr y ffynnon ac yn clebran ymysg ei gilydd. Golygfa ramantus iawn ar y pryd, ond, wrth edrych yn ôl, pwy fyddai'n gwrthod peiriant golchi dillad iddynt heddiw!

Yn ddiweddarach, cefais swydd lawn-amser yn dysgu yn Rossett Controlled School, ysgol i blant rhwng 5 a 15 oed. Bechgyn a merched o 11 hyd at 13 oed nad oeddent wedi llwyddo i fynd i ysgol ramadeg oedd yn fy nosbarth i. A chan fod yr ysgol yn rhy fach, roedd yn rhaid i mi eu dysgu yn y neuadd fawr a oedd hefyd yn cael ei defnyddio fel ffreutur. Er bod rhyw fath o amserlen wersi yn bodoli, doedd dim meysydd llafur wedi'u gosod ac roedd pob athro yn rhydd i ddefnyddio'r gwersi i ddysgu unrhyw beth roeddynt yn ei ddymuno.

Gan farnu oddi wrth sawl gwaith y deuai'r

prifathro i fy nosbarth i ymgynghori gyda fi ynglŷn â rhyw gliw pos croeseiriau neu i ofyn rhyw gwestiwn gwybodaeth gyffredinol, cefais yr argraff mai'r unig beth roedd yn ei wneud drwy'r dydd oedd eistedd yn ei ystafell yn gwneud cystadlaethau mewn cylchgronau a phapurau newyddion. Gadewid i'r dirprwy brifathro gadw trefn drwy chwipio coesau'r plant â chansen ar hyd y coridorau. Rhyw naw troedfedd wrth naw troedfedd oedd ystafell yr athrawon ar gyfer wyth ohonom, a honno'n llawn mwg trwchus sigarét bob amser.

Tua diwedd fy mlwyddyn gyntaf yno, dwi'n cofio'r prifathro yn dweud wrth y staff, 'We'd better start some sort of exams tomorrow.' Ond, ryw bythefnos wedyn, pan ofynnais i'r athro gwyddoniaeth am farciau arholiad plant fy nosbarth i yn ei bwnc, er mwyn i mi gwblhau eu hadroddiadau am y flwyddyn, ei ateb ef oedd, 'Oh... I'll let you have their exam marks today, and I'll give them their exam tomorrow after teaching them something'.

Ryw ddwy flynedd ar ôl i mi fynd yno, agorwyd ysgol newydd yn Rossett i'r plant hŷn, sef Ysgol Uwchradd Darland. Ond, yn hytrach na chynnig am swydd yno, cefais swydd unwaith eto yn Ysgol Ramadeg i Ferched, Grove Park, Wrecsam, ysgol ardderchog lle roedd y brifathrawes yn effeithlon dros ben a'r ddisgyblaeth yn rhagorol.

Yn y cyfamser, roedd Geraint a minnau wedi prynu tŷ am y tro cyntaf, a hynny yng Ngresffordd (*Gresford*). Yno cawsom deleffon yn y tŷ am y tro cyntaf, a'r ddau ohonom yn rhy nerfus i'w ddefnyddio!

Roedd bywyd yn brysur iawn, fel i bob teulu arall lle mae'r ddau riant yn gweithio'n llawn-amser ac nid peth hawdd oedd ymdopi â phopeth ar yr un pryd: cael y plant a ninnau i'n hysgolion gwahanol bob bore, cwblhau'r gwaith tŷ a chymoni'r ardd, danfon y bechgyn i gael gwersi piano neu ffidil a cheisio eu cael nhw i ymarfer.

Roedd yn rhaid talu morgais ar y tŷ, wrth gwrs, ac ymgymerodd Geraint â'r gwaith o ddysgu mewn ambell ddosbarth nos yn Ysgol Dechnegol Wrecsam o dan nawdd Adran Efrydiau Allanol Prifysgol Bangor, yn ogystal â dysgu yn Ysgol Ramadeg y Bechgyn, Rhiwabon, yn ystod y dydd. Arweiniodd y gwaith hwn at ei gynhyrchiad o'r ddrama *Llywelyn Fawr* yn neuadd William Aston yn Wrecsam.

Y gwanwyn canlynol roedd nifer o fyfyrwyr ail iaith Geraint o'r coleg technegol yn cofrestru i sefyll eu harholiad Lefel O yn y Gymraeg ac, er nad oeddwn wedi bod yn mynychu'r dosbarthiadau, barnodd Geraint fod safon fy Nghymraeg yn ddigon da erbyn hynny i gynnwys fy enw i ar y rhestr. Dwi'n falch o ddweud i mi lwyddo yn yr arholiad gydag anrhydedd.

Rhai o'r pethau eraill sy'n aros yn fy nghof am yr adeg honno yw mynd gyda Geraint ar orymdeithiau yn erbyn arfau niwclear, ymdrechu i ddechrau ysgol feithrin Gymraeg yn Wrecsam ac ymgyrchu i sefydlu ysgol uwchradd Gymraeg yn y dre (Ysgol Morgan Llwyd). Dwi'n cofio un o'r athrawesau eraill yn Ysgol Grove Park yn dod ataf un diwrnod yn ystafell yr athrawon ac yn dweud, 'What's all this about a new school you're involved in trying to set up?' A phan eglurais i mai'r gobaith oedd sefydlu ysgol uwchradd yn Wrecsam a fyddai'n defnyddio'r iaith Gymraeg fel cyfrwng addysgu, ei sylw oedd, 'Heaven forbid!'

Prosiect arall o'r pumdegau hwyr, y chwaraeodd Geraint a minnau rôl fach iawn yn unig ynddo y tro hwn, oedd y darlledu anghyfreithlon gan Radio Cymru Rydd (*Radio Free Wales*). Yn yr wythnosau cyn Etholiad Cyffredinol 1959, rhoddwyd amser cyfreithlon ar yr awyr i'r Blaid Geidwadol, y Blaid Lafur a'r Blaid Ryddfrydol, er mwyn iddynt wneud darllediadau propaganda gwleidyddol. Ond gwrthodwyd i Blaid Cymru gael unrhyw amser o gwbl. I unioni'r

cam, ac yn dilyn cyfarwyddyd gan Blaid
Genedlaethol yr Alban (SNP), adeiladodd
grŵp o genedlatholwyr yn y Rhondda
drosglwyddydd radio anghyfreithlon. Yna,
bob nos, wrth i raglenni teledu'r BBC
ddod i ben, byddai llais yn torri ar draws
ac yn dweud wrth y gwrandawyr i beidio â
diffodd eu setiau, gan y byddai rhaglen arall
yn dilyn gan Radio Cymru Rydd. Roedd y
rhaglenni yn cynnwys eitemau newyddion,
cyfweliadau, caneuon gwladgarol,
anogaeth i bleidleisio dros Blaid Cymru,
ac yn gorffen gyda 'Hen Wlad fy Nhadau'.
Methodd yr awdurdodau a'r heddlu olrhain
lleoliad y trosglwyddydd oherwydd iddo
gael ei symud i wahanol dŷ bob nos. Ardal
Caerdydd a chymoedd y de oedd y cylch
arferol ar gyfer y gweithgarwch hwn, ond
symudwyd y trosglwyddydd (neu efallai
fod mwy nag un) i ambell dŷ yn y gogledd
hefyd. Unwaith yn unig y defnyddiwyd ein
tŷ ni yng Ngresffordd i'r pwrpas. Roeddwn
wedi gofalu bod y bechgyn yn eu gwelyau ac
yn cysgu cyn i'r criw gyrraedd, ond cawsant
eu deffro gan y ceir yn cyrraedd. Wedi
iddynt sleifio i lawr y grisiau a chlywed yr
holl sisial, arhoson nhw y tu allan i ddrws
yr ystafell er mwyn clustfeinio. Maent dal i
gofio'r digwyddiad hyd heddiw.

***

Parhaom i fynd ar wyliau teuluol gan wersylla yng ngwahanol rannau o Brydain ac ar gyfandir Ewrop. Roeddem wedi ffarwelio â'r *caravette* erbyn hynny a phrynu pabell fawr yn ei lle. Cawsom brofiadau diddorol di-ri. Cofio cyrraedd Coruña yn Galicia yn ystod taith o amgylch Sbaen yn weddol hwyr a darganfod nad oedd maes gwersylla yno. Aethom i holi yn neuadd y ddinas, a daeth y maer ei hun i gwrdd â ni, ac wrth ddeall ein bod yn dod o Gymru yn ein croesawu fel perthnasau coll. Siaradodd â ni am amser maith am hanes yr hen lwyth Celtaidd, yr Artabri, trigolion cyntaf Coruña cyn adeg y Rhufeiniaid, a mynd â ni i siambr fawr y cyngor i ddangos cerfluniau i ni o hanes y ddinas. Erbyn hynny, roedd hi tua hanner nos a'n bechgyn bron â chysgu ar eu traed. Dyna'r amser mae'r Sbaenwyr yn dechrau deffro mae'n debyg! Dywedwyd wrthym am fynd i wersylla yn stadiwm y ddinas lle roedd toiledau a chyfleusterau eraill ac fe'n tywyswyd ni yno. Wrth i ni gyrraedd y stadiwm gwelwyd bod ffair wedi'i gosod wrth y fynedfa a bu raid i sawl un symud eu stondinau er mwyn i ni fynd â'n car trwy'r llidiardau mawr. Wedi gosod ein pabell, prynom yr hyn a alwyd yn *fritas* cynnes o un o'r stondinau ac, o ganlyniad, bu'r bechgyn yn sâl yn ystod y nos. Ar ben hynny, roedd syrcas deithiol y Circo Americano wedi codi pabell enfawr yn union yr ochr arall i'r wal lle roeddem wedi gosod ein pabell ni, a'r perfformiad byddarol yn para tan oriau man y bore. Pan ddaeth y sioe i ben, dyma feddwl y byddem, o'r diwedd, yn cael cwsg, ond nid dyna a ddigwyddodd! Dechreuodd y gweithwyr ddatod pabell anferth y syrcas gan weiddi ar ei gilydd, taflu'r polion metel trwm i'r ddaear, symud y lorïau, y cerbydau a'r anifeiliaid a chychwyn ar eu ffordd i'r dref nesaf. Erbyn hynny roedd hi'n gwawrio a phenderfynom ninnau ein bod am godi pac a symud yn ein blaenau. Tybiem ein bod wedi cael gwared o'r Circo Americano, ond na! Ar ôl teithio ychydig filltiroedd ar hyd y ffordd, gwelsom fod un o'r lorïau mawrion yn methu symud ar ochr y ffordd, a'r gyrrwr (yn ei wisg clown) yn gwneud ystumiau arnom i arafu. Gofynnodd i ni roi lifft iddo i'r dref nesaf er mwyn iddo chwilio am gymorth.

Yn ystod yr un ymweliad â Sbaen, cawsom ein camarwain gan yr RAC i feddwl bod maes gwersylla yng nghanol y mynyddoedd serth yn ymyl argae o'r enw Entrepeñas, ond doedd dim un ar gael. Roedd hi'n dechrau nosi a phawb wedi blino, felly penderfynom godi pabell rhwng y llwybr a'r llyn mawr oddi tanom. Yn gynnar y bore trannoeth, cawsom ein deffro gan sŵn traed trymion ac, wrth edrych trwy'r mymryn agoriad wrth ochr drws y babell, gwelsom grŵp o ddynion gwyllt yr olwg yn cario gynnau hirion ac yn dod tuag atom. Cawsom gryn dipyn o fraw. Er rhyddhad i ni, fe gerddon nhw heibio'r babell heb gymryd sylw. Mae'n debyg mai gwŷr lleol oeddynt, wedi codi'n gynnar i hela. Roedd y profiad hwnnw yn wers i ni. Byddai'r dynion wedi gallu ein saethu yn y fan a'r lle er mwyn dwyn ein harian a'n heiddo.

Daeth fy nghyfnod fel athrawes yn Ysgol Grove Park i ben pan aned merch fach, Nia Mererid, ar 1 Medi 1960. Ryw flwyddyn yn ddiweddarach, daeth newid mawr arall i'n bywyd pan benodwyd Geraint yn un o Arolygwyr Addysg ei Mawrhydi (HMI). Roedd hyn yn golygu na châi bellach fod yn aelod o unrhyw blaid wleidyddol na chymryd rhan mewn gweithgareddau politicaidd.

Ein gorchwyl nesaf oedd gwerthu ein tŷ yng Ngresffordd a symud i Gaerdydd. Yn hytrach na defnyddio asiant gwerthu tai, penderfynom fentro ar ein liwt ein hunan. Un dydd Sul, peintiom arwydd mawr, 'Ar Werth', a'i osod o flaen y tŷ, a'r diwrnod wedyn daeth rhywun i mewn a phrynu'r tŷ am y pris llawn yn y fan a'r lle.

Bywyd yng Nghaerdydd

OHERWYDD GWERTHIANT CYFLYM ein tŷ yng Ngresffordd nid oeddem wedi cael unrhyw gyfle o gwbl i edrych o gwmpas ardal Caerdydd i chwilio am gartref newydd. Wrth edrych yn y *Western Mail*, gwelais hysbyseb am dŷ tair llofft ar rent yn ardal Pen-y-lan yn y ddinas ac, ar ôl i ni gysylltu â'r perchennog, dyma ni yn mynd â'n holl ddodrefn ac yn symud i mewn i'r tŷ heb hyd yn oed ei weld ymlaen llaw.

Bum mis yn ddiweddarach, prynom ein tŷ ein hunain yn Rhiwbeina, byngalo pedair ystafell wely mewn gardd goediog dawel ar y cornel rhwng Heol y Deri a'r *cul de sac*, Lôn y Winci, yn edrych dros gaeau agored ffarm y Deri.

Erbyn i ni adael, bedair blynedd yn ddiweddarach, roedd y tŷ ffarm wedi'i ddymchwel a thafarn fodern yn ei lle. Roedd Eglwys y Seventh Day Adventists hefyd wedi'i hadeiladu gyferbyn â'r tŷ, a llawer o dai newydd wedi llenwi'r caeau yr holl ffordd i Lanisien Fach.

Byddai Rhys, y mab hynaf, yn seiclo bob dydd i Ysgol Ramadeg yr Eglwys Newydd, a Steffan yn mynd ar y bws mini i Ysgol Bryn Taf. Erbyn iddo gyrraedd 11 oed roedd Ysgol Uwchradd Rhydfelen wedi agor, a'r peth naturiol oedd ei anfon yno. Yn fuan ar ôl i ni gyrraedd ardal Caerdydd, roedd Geraint wedi ymuno yn yr ymgyrch i sefydlu'r ysgol honno, sef yr ysgol uwchradd gyntaf yn ne Cymru a'r Gymraeg yn iaith swyddogol iddi. Agorwyd hi ym Medi 1962 gydag 80 o ddisgyblion (15 ohonynt yn unig yn y ffrwd ramadeg). Erbyn iddi symud i gampws Garth Olwg yn 2006 roedd tua mil o fyfyrwyr yno.

Dwi'n cofio bod gaeaf cyntaf hwnnw yn Rhiwbeina yn un arswydus o oer, gydag eira trwchus ar y ddaear o ddiwrnod olaf Rhagfyr 1962 hyd ddiwedd Mawrth 1963, a chan fod y brif bibell ddŵr i'r tŷ yn dueddol o rewi, byddai raid i mi fynd i nôl eira mewn sosban weithiau a'i doddi ar y stof er mwyn golchi'r llestri a phethau felly. Ond eithriad oedd y math hwnnw o dywydd, a thueddaf i gofio Rhiwbeina am yr hafau braf a dreuliom yn yr ardd yno.

Wedi i Geraint fwrw ei brentisiaeth fel arolygydd ysgolion dan adain HMI arall, gwnaed ef yn gyfrifol am arolygu ysgolion y Rhondda, ardal roedd ei rieni o'r ddwy ochr wedi'u magu ynddi. Roedd chwaer ei fam, Bopa Jên, a nifer o berthnasau eraill dal i fyw yn Nhreorci, ac roedd hi'n gyfleus iawn iddo alw heibio i'w gweld pan oedd ar ei ffordd i ryw ysgol neu'i gilydd.

Roedd Bopa Jên yn wraig weddw heb blant; erbyn hynny roedd yn ei hwythdegau ac yn ei chael hi braidd yn anodd ymdopi yn byw ar ei phen ei hun. Er bod ganddi berthnasau eraill yn byw ar yr un stryd â hi a ffrindiau yn galw'n gyson i'w helpu, byddai Geraint a minnau a'r plant yn mynd yno ar y Sul i wneud bwyd iddi a glanhau'r tŷ. Pan fyddai'r tywydd yn oer iawn byddai Geraint yn nôl Bopa Jên i fyw gyda ni am rai misoedd ar y tro yn Rhiwbeina, ac yn mynd â hi yn ôl i Dreorci ar ôl i'r tywydd wella.

Cyrhaeddodd ein plentyn olaf, Siân Arianwen, ar 8 Tachwedd 1963. Cafodd ei geni gartref gan nad oedd lle yn yr ysbyty. Fel gyda'r tri arall, nid oedd Geraint yn bresennol yn ystod y geni. Y dyddiau hynny ni chaniateid i dad y plentyn ddod i'r ystafell eni. Yn achos Geraint, efallai fod hynny'n beth da neu mi fyddai wedi creu mwy o banig fyth ynof, mae'n debyg, fel a ddigwyddai pan oedd yn fy nysgu i yrru car. A minnau wrth yr olwyn, byddai'n dal yn dynn yn ochr ei sedd ac yn sythu. Pe bai'n gweld car arall neu, yn waeth fyth, lori yn dod tuag atom, byddai'n dal ei wynt. Fwy nag unwaith bu raid i mi barcio ar ochr y ffordd, neidio o sedd y gyrrwr a dweud wrtho am yrru gweddill y daith. Cafodd syndod pan basiais i'r prawf gyrru ar fy nghynnig cyntaf!

Gyda phedwar o blant i ofalu amdanynt roedd llai o amser bellach i ymweld â Bopa Jên a bu raid i rai o'i pherthnasau eraill gymryd y cyfrifoldeb, er bod Geraint dal i alw heibio i'w gweld. Serch hynny, bob tro byddem yn gwneud cynlluniau i fynd i rywle arbennig, daethom i sylweddoli ei bod hi'n arferiad gan Bopa Jên ddanfon neges ar y funud olaf i ddweud ei bod hi'n wael iawn ac am i ni fynd yno. Ond, yn ddieithriad, wrth gyrraedd yno, byddai hi'n ymddangos yn iach iawn ac yn llawn bywyd ac egni.

Fis Awst 1964 roedd Geraint yn beirniadu'r awdl yn Eisteddfod Genedlaethol Abertawe, ac roeddem wedi paratoi i fynd yno fel teulu am y dydd. Ond y noson cyn y cadeirio daeth neges ar y ffôn i ddweud bod Bopa Jên am i ni fynd ati ar unwaith gan nad oedd hi'n disgwyl para'r nos. Dyma ni felly yn rhuthro i Dreorci i ganfod unwaith yn rhagor fod Bopa Jên yn fyw ac yn iach ac yn disgwyl amdanom ar garreg y drws. Serch hynny, roedd hi'n mynnu ein bod ni'n aros dros nos. Un gwely oedd yno, a chan fod

Geraint yn gorfod beirniadu o lwyfan yr Eisteddfod Genedlaethol y diwrnod wedyn, fe'i rhoddais iddo ef. Cysgais innau a'r plant ar hen fatras ar y llawr, a gwneud gwely bach i'r baban mewn drôr!

Drannoeth, aethom yn syth i'r Eisteddfod ac, wrth gyrraedd y maes, sylweddolodd Geraint nad oedd wedi eillio ers tridiau a bod golwg go wyllt arno. Ond, drwy ryfedd wyrth, wrth gerdded tuag at y pafiliwn daethom ar draws stondin a oedd yn arddangos math newydd o raseli, sef rhai trydan, ac roedd dyn y stondin yn falch o gael dangos rhinweddau ei raseli modern i'r dorf fach a oedd wedi ymgasglu drwy dorri bonion blew Geraint a'i wneud yn ddigon trwsiadus i ymddangos ar y llwyfan.

Yn Rhiwbeina, roeddem yn weithgar gyda chymdeithas rieni Ysgol Feithrin y pentre y dechreuodd Nia ynddi yn dair blwydd oed, a'r ymgyrch i sefydlu ysgol gynradd Gymraeg yn ardal Rhiwbeina. Llwyddwyd yn y diwedd i gael dosbarth Cymraeg i'r plant ieuengaf yn Ysgol Llanisien Fach a agorwyd ar 1 Medi 1964, pen blwydd Nia yn bedair oed. Hi oedd y plentyn ieuengaf yn y dosbarth. Roeddem hefyd, wrth gwrs, yn aelodau o'r gymdeithas Rhieni dros Addysg Gymraeg drwy Gymru ac yn mynychu ei chynadleddau a gynhelid fel arfer yng ngwesty mawr Pantyfedwen, yn y Borth, a oedd yn eiddo i Urdd Gobaith Cymru.

Ddiwedd haf 1965 galwyd Geraint i ystafell y Prif HMI yng Nghaerdydd. Dywedodd wrtho fod angen arolygwr a oedd yn arbenigo yn y Gymraeg yn Sir Feirionnydd, a gofynnodd a fyddai gan Geraint ddiddordeb. Roedd Geraint wrth ei fodd, a minnau hefyd. Doeddem ni ddim yn bobl y dre. Byw yng nghefn gwlad oedd dyhead y ddau ohonom. Wrth i'n dau fachgen gyrraedd eu harddegau roeddem yn dechrau pryderu'n fwyfwy am effaith bywyd y Ddinas arnynt, ac roeddem yn awyddus i'n dwy ferch fach gael eu magu mewn awyrgylch pentrefol, gwledig hollol Gymraeg. Yn Sir Feirionnydd roedd brawd Geraint, Euros, yn byw, ac yn Sir Feirionnydd hefyd roedd Geraint wedi treulio blynyddoedd y rhyfel yn gweithio fel gwas ffarm. Roedd y sir hefyd yn brydferth iawn, ac mae prydferthwch natur yn golygu llawer iawn i mi. Rhoesom ein tŷ yn Rhiwbeina ar werth a mynd i fyny am ddiwrnod neu ddau i chwilio'n hapus ac yn frwdfrydig am gartref newydd yn Sir Feirionnydd.

Braidd yn siomedig fu'r chwilio. Er i ni fynd i weld sawl tŷ a oedd ar werth, doedd dim byd yn taro deuddeg. Ond, ar y ffordd yn ôl i'r Bala lle roeddem yn aros, digwyddom gwrdd â Bryn Davies, ffarmwr Pantyneuadd, y Parc, un o hen ffrindiau Geraint o adeg y rhyfel, ac eglurodd Geraint wrtho ein bod ni'n chwilio am dŷ. Mynnodd Bryn ein bod ni'n mynd i Bantyneuadd yn ddiweddarach y noson honno i gael panad gydag ef a'i wraig, Sylwen, a'u teulu. (Yn wahanol i fi, mae Sylwen bob amser yn gallu ymdopi'n wyrthiol ac yn gwbl ddiffwdan ag unrhyw nifer o ymwelwyr yn ddirybudd!). Roedd ein dwy ferch fach wrth eu boddau yn chwarae gyda chwe phlentyn Bryn a Sylwen, a theimlai Sylwen a minnau fel ffrindiau agos o'r dechrau.

Dywedodd Bryn ei fod yn un o flaenoriaid capel y Parc a oedd newydd uno, dan un gweinidog, â chapel Presbyteraidd Llanuwchllyn. Roedd Pennant, sef tŷ'r gweinidog yn y Parc, yn wag ar y pryd gan eu bod yn disgwyl i weld ai yn Llanuwchllyn neu yn y Parc y byddai'r gweinidog yn dewis byw. Dywedodd Geraint y byddem yn fodlon rhentu Pennant. Ychydig ddyddiau ar ôl dychwelyd i Gaerdydd, dyma lythyr yn cyrraedd oddi wrth Bryn yn cynnig y tŷ i ni ar rent; roeddem ninnau'n falch iawn o dderbyn y cynnig.

Symudom o Gaerdydd ar 1 Medi 1965, pen blwydd Nia yn bump oed. Roedd Siân yn rhyw flwydd a deng mis. Roedd y fan ddodrefn wedi gadael Rhiwbeina, a ninnau wedi llwytho rolenni o leino a phethau eraill a oedd ar ôl ar do'r car, ac yn barod i gychwyn ar ein siwrne i'r Parc pan ganodd y ffôn: neges i ddweud bod Bopa Jên am i ni fynd i Dreorci gan ei bod hi'n wael. Atebodd Geraint ei bod hi'n amhosibl i ni fynd yno y diwrnod hwnnw. Roedd hi'n hwyr brynhawn arnom yn cyrraedd y Parc. Ryw awr yn ddiweddarach daeth neges ffôn i ddweud bod Bopa Jên wedi marw.

Y Parc a Dechrau Merched y Wawr

PENTRE BYCHAN IAWN oedd y Parc, yng nghanol y wlad ar lannau afon Lafar. Ac eithrio'r capel Presbyteraidd, yr ysgol a rhyw wyth o dai cyngor, ychydig iawn o dai eraill a oedd yn y pentre ei hun. Doedd dim siop na thafarn yno ond, unwaith bob pythefnos, byddai bws yn teithio i'r Bala, ryw bedair milltir i ffwrdd.

Asgwrn cefn y gymdeithas oedd y teuluoedd a oedd yn byw yn y ffermydd o amgylch. Roedd y rheiny'n fwy cefnog na phobl y tai cyngor, a'r ffermwyr fel arfer oedd blaenoriaid y capel. Roedd sawl teulu yn perthyn i'w gilydd, ac roedd pawb fel petai'n frawd neu'n chwaer, neu'n gefnder neu'n fodryb i rywun arall. Roedd pawb yn siarad Cymraeg. Doedd yr iaith Saesneg ddim yn chwarae rhan ym mywyd y pentre o gwbl. Roedd yn bentre delfrydol i fagu plant ynddo.

Ers dod i Gymru, dyna'r tro cyntaf i mi fyw mewn ardal amaethyddol. Un o'r pethau a'm synnodd oedd y statws a roddid i'r ffermwyr yno, a oedd yn wahanol iawn i'r statws a roddid iddynt yn y gymdeithas lle roeddwn innau wedi cael fy magu. Er bod bwthyn fy nhad a'm mam yn Liversedge ynghlwm wrth dŷ ffarm, y duedd yno oedd edrych i lawr ar ffermwyr fel pobl dlawd, di-ddysg ac anniwylliedig a siaradai ag acen gref Swydd Efrog. Roeddynt o hyd yn flêr ac yn fudr gan eu bod yn gweithio gydag anifeiliaid ac ar y tir. Ar y llaw arall, roedd llawer o bobl barchus 'coler gwyn' yn byw yn nhai cyngor Liversedge ac, yn wahanol i ni a'r ffermwyr, roedd ganddynt yr holl gyfleusterau modern fel trydan ac ystafell ymolchi. Wrth ddod i adnabod cefn gwlad Cymru synnais fod cynifer o athrawesau ysgol wedi dewis priodi ffermwyr!

Cymdeithas glòs iawn oedd yn y Parc, a phawb yn helpu ei gilydd. Adeg y cneifio, byddai pawb o'r pentre yn casglu ar ryw ffarm neu'i gilydd yn ei thro, y dynion yn cneifio'r defaid neu'n plygu a phacio'r cnuoedd a'r merched yn paratoi bwyd iddynt yn un o'r pentai. Yr un fyddai'r stori adeg lladd gwair. Digwyddiadau cymdeithasol iawn oeddynt. Un tro, ar ôl torri'r gwair, mae gennyf gof o fabolgampau yn cael eu cynnal yn un o'r caeau, a rasys o bob math ar gyfer pob oed. Roedd bywyd cymdeithasol a bywiog iawn yn y pentre drwy'r flwyddyn ac roedd rhywbeth yn digwydd bron bob nos: gwasanaethau a thraddodi yn y capel; Cymdeithas y Bobl Ifanc (o 9 i 90 oed!); dosbarthiadau Cymdeithas Addysg y Gweithwyr; dramâu byrion; gwestai yn annerch neu grwpiau fel Hogiau'r Wyddfa yn perfformio; a bob blwyddyn byddai'r trigolion yn cael eu rhannu yn dri thîm i gystadlu yn eisteddfod y pentre. Cafwyd llawer o hwyl wrth gasglu yng nghartrefi gwahanol bobl i ymarfer ar gyfer y côr, y parti cydadrodd, neu'r ymgom ddigri.

Yr unig anhawster i mi oedd fod pob gweithgaredd yn cael ei gynnal dan nawdd y capel, hyd yn oed ddosbarthiadau nos Cymdeithas Addysg y Gweithwyr lle byddai'r blaenoriaid yn dewis y testun a fyddai'n ddieithriad yn bwnc beiblaidd. Wrth drosglwyddo goriad drws y tŷ i ni, roedd gwraig y blaenor a oedd yn gyfrifol amdano wedi dweud wrth Geraint y byddai disgwyl inni ddod yn aelodau o'r capel yn lle mynd at yr Annibynwyr yn Llanuwchllyn. Roeddynt wedi cymryd yn ganiataol bod Geraint yn Annibynnwr fel ei dad. Doedd neb yn meddwl gofyn i mi beth oedd fy naliadau i. Serch hynny, penderfynais gymryd rhan ym mhob dim, a mynd i'r capel ar y Sul hefyd er mwyn dod i adnabod merched eraill y pentre ac ymarfer siarad iaith Sir Feirionnydd a oedd yn wahanol iawn i'r Gymraeg roeddwn eisoes wedi'i dysgu.

Mae'r chwedegau yn enwog erbyn hyn fel cyfnod o chwyldro cymdeithasol a phrotestio dros hawliau sifil ar fwy nag un cyfandir. Yng Nghymru hefyd roedd cyffro yn y tir, yn enwedig ymysg y Cymry Cymraeg hynny a oedd yn pryderu am ddyfodol yr iaith. Yn dilyn canlyniad Cyfrifiad 1961, a ddangosai fod nifer y siaradwyr Cymraeg wedi gostwng yn sylweddol unwaith eto, traddododd Saunders Lewis ei ddarlith radio enwog ar dynged yr iaith, a chafodd ymgyrchoedd Cymdeithas yr Iaith Gymraeg dros gyfiawnder i'r iaith lawer o sylw yn y wasg. Ym mis Gorffennaf 1966, pan gipiodd Gwynfor Evans y sedd gyntaf erioed i Blaid Cymru yn isetholiad Caerfyrddin, roedd gobaith ymysg cenedlgarwyr Cymru fod y wawr wedi torri o'r diwedd, a hyder newydd bod y werin yn dechrau deffro. Dechreuodd Dafydd Iwan hefyd ddefnyddio'r geiriau 'y wawr' yn sawl un o'i ganeuon.

Ryw fis ar ôl i ni symud i'r Parc daeth gwraig un o'r ffermwyr a oedd yn flaenor yn y capel, Mrs Mari Davies, i'm gweld. (Hi a roddodd oriad y tŷ i ni). Dywedodd ei bod hi'n meddwl dechrau cangen o'r Women's Institute (Sefydliad y Merched) yn y pentre a

157

gofynnodd a fyddwn am ymuno. Bryd hynny doeddwn i ddim yn gwybod llawer iawn am y WI, dim ond fod rhai pobl yn edrych ar y sefydliad hwnnw a'r Townswomen's Guilds fel mudiadau Seisnig. Ond, dywedodd Mrs Davies mai cangen hollol Gymraeg fyddai cangen y Parc. Roeddwn yn ymwybodol hefyd y byddai sefydlu cangen o'r WI yn y Parc yn golygu bod o leiaf un peth yn y pentre nad oedd yn gysylltiedig â'r capel. Felly cytunais i ymuno.

Yn y cyfarfod cyntaf, er mawr syndod i mi, cefais fy ethol yn ysgrifennydd y gangen. Roedd un o'r VCOs (*Voluntary County Officers*), Mrs D. H. Jones o Garrog, wedi dod i sefydlu'r gangen. Soniodd am hanes y WI, sut dechreuodd y gangen gyntaf ym Mhrydain yn Llanfair-pwll, Sir Fôn, ar batrwm mudiadau a oedd eisoes yn bodoli yng Nghanada. Dywedodd hefyd fod y mudiad yn y wlad hon ar fin dathlu ei ben blwydd yn hanner cant, a bod miloedd o ganghennau ganddynt drwy Brydain. Cangen y Parc, meddai, fyddai'r hanner canfed cangen ym Meirionnydd, sir lle roedd y rhan fwyaf o'r canghennau yn gweithredu yn gyfan gwbl drwy gyfrwng y Gymraeg. Soniodd hefyd am y gwahanol weithgareddau, a'r llyfrynnau a oedd ar gael ar wahanol grefftau ac yn y blaen.

Yna daeth â chopi o'r cyfansoddiad i ni ei arwyddo. Y peth cyntaf a sylwais arno oedd mai copi uniaith Saesneg ydoedd, fel yr holl ddogfennau eraill a roddodd i ni, yn eu plith hen gopïau o'r 'North Wales edition' o'u cylchgrawn *Home and Country*. Doedd dim gair o Gymraeg yn hwnnw ychwaith.

Daethai â dyddiaduron y WI i'w gwerthu hefyd, ond roedd y rheiny i gyd yn uniaith Saesneg ac yn cynnwys map o Lundain a manylion ar sut i fynd i'r gwahanol sinemâu a theatrau yn y ddinas honno, ond dim byd am Gymru. Edrychais drwy'r rhestr o bamffledi a oedd ganddynt ar bynciau fel coginio, crefftau amrywiol a garddio, ond doedd dim byd o gwbl yn Gymraeg. Fel newydd-ddyfodiad i'r Parc, a'r gangen newydd ei sefydlu, doeddwn i ddim yn ddigon hy i ddweud dim bryd hynny, a derbyniais y drefn.

Doedd pethau ddim llawer gwell yn sirol ychwaith, gan fod yr holl ddogfennau a ddanfonwyd atom yn Saesneg. A dyna, wrth gwrs, oedd prif iaith y cyfarfodydd sirol, a'r dosbarthiadau crefftau. Pan gynhelid rhyw gystadleuaeth neu'i gilydd rhwng y canghennau cyrhaeddai'r feirniadaeth yn uniaith Saesneg a byddai raid i mi ei chyfieithu i'r Gymraeg cyn ei darllen i'r gangen. Ond roeddwn i'n gwybod na fyddai pob ysgrifennydd lleol yn mynd i'r drafferth o wneud hynny; eu darllen yn y Saesneg oedd y peth hawsa.

Yn ystod y misoedd dilynol dechreuais sylwi hefyd ar yr effaith roedd hyn oll yn ei gael ar laith lafar gwragedd Meirionnydd. Yng nghanol brawddegau Cymraeg byddai ymadroddion fel yr 'Autumn Council Meeting' a'r 'Produce Guild' a'r 'Tudor Rose Bowl Competition' yn britho'r sgwrs, a sylwais ar adroddiadau 'Cymraeg' yn y papurau lleol yn sôn am Mrs Jones yn 'ennill *gold star* am *lady's dress*' a Mrs Owen yn 'ennill *silver star* am wneud *tablecloth* yn y *Group Handicrafts Exhibition*'.

Tynnais sylw aelodau'r Parc at bethau fel hyn ar sawl achlysur, ac fel ysgrifennydd Sefydliad y Merched yn y Parc codais y mater droeon gyda swyddogion sirol, ond heb fawr o lwyddiant.

Gwyddwn fod merched Cymru wedi'u cyflyru dros y canrifoedd i ystyried eu hiaith eu hunain fel rhywbeth i'w siarad ymysg ei gilydd yn y pentre, ond bod yn rhaid troi i'r Saesneg os oeddech chi am wneud rhywbeth swyddogol, ac roeddwn i'n teimlo nad oedd Sefydliad y Merched yn gwneud dim oll i newid y sefyllfa honno. Meddyliais am y cannoedd o ganghennau a oedd ganddynt yn dylanwadu ar iaith y merched drwy Gymru gyfan, a'r cyfle roeddynt yn ei golli i wneud rhywbeth cadarnhaol i rwystro dirywiad yr iaith.

Ym Mehefin 1966, mewn cyfarfod cyffredinol rhwng swyddogion sir y WI a chynrychiolwyr y canghennau, cafodd cangen y Parc a changen arall eu beirniadu'n gyhoeddus am beidio â phrynu unrhyw gopïau o *Home and Country*. Eglurais fod sefydliad y Parc yn anfodlon iawn fod hyd yn oed argraffiad gogledd Cymru o'r cylchgrawn yn uniaith Saesneg a gofynnais beth fyddai'n digwydd pe bai rhywun yn danfon erthygl atynt yn y Gymraeg. Yr ateb a gefais oedd y byddai'n rhaid ei chyfieithu i'r Saesneg. Euthum ymhellach ac ysgrifennu erthygl fy hun yn Gymraeg, a'i danfon atynt ynghyd â llythyr yn dweud y byddai aelodau'r Parc yn fodlon prynu copïau o'r cylchgrawn pe bai rhyw gymaint o Gymraeg ynddo. Ni chefais ateb i'r llythyr ond, yng nghyfarfod Hydref y sir yn Rhyd-y-main cyfeiriodd un o swyddogion y sir at y mater o'r llwyfan. Dywedodd y byddai'n rhy gostus i gynnwys unrhyw Gymraeg yn y cylchgrawn.

Ym mis Tachwedd roedd disgwyl i bob cangen anfon adroddiad i'r sir o'i gweithgareddau yn ystod y flwyddyn, a chan fod sefydliad y Parc wedi cynnal pob un o'i chyfarfodydd yn Gymraeg, mi wneuthum hynny yn Gymraeg hefyd. Ond cefais holiadur swyddogol yn ôl oddi wrth ysgrifenyddes y sir lle roedd disgwyl i mi ateb yr holl gwestiynau ynglŷn â'n gweithgareddau yn Saesneg.

Tua'r un pryd daeth cylchlythyr sirol i'r gangen yn ein hatgoffa bod ein cyfraniad ariannol blynyddol i'r sir ac i'r pencadlys yn Llundain yn ddyledus. Ar gefn y cylchlythyr roedd holiadur wedi'i deipio yn Saesneg, rhywbeth yn ymwneud ag addysg plant mewn ysgolion preifat. Pwysleisiwyd y dylid ateb y cwestiynau yn Saesneg ac nid yn Gymraeg.

Felly yng nghyfarfod nesaf y gangen codais y mater eto. Roedd pawb yn cytuno nad oedd hi'n deg fod cyfraniad ariannol y Parc a holl ganghennau Cymraeg eraill y sir yn mynd tuag at y gost o gynhyrchu taflenni a ffurflenni uniaith Saesneg, a chytunwyd i mi ysgrifennu at swyddogion y sir i ddweud ein bod wedi penderfynu cadw'r arian yn ôl nes i ni gael fersiwn Cymraeg neu ddwyieithog o'r papurau. Nodais yn fy llythyr at yr ysgrifenyddes sirol ein bod ni'n gwerthfawogi ei sefyllfa bersonol hithau, gan ei sicrhau hi y byddem yn gefn iddi ym mhob ymdrech a wnâi i roi chwarae teg i'r iaith.

Roeddem wedi penderfynu cynnal

Cyfarfod Cyffredinol Blynyddol y gangen ganol Tachwedd 1966, gan wahodd y swyddog a ddaeth atom i sefydlu'r gangen y flwyddyn cyn hynny. Fodd bynnag, cefais alwad ffôn o WI y sir yn mynnu ein bod yn gohirio'r cyfarfod tan 8 Rhagfyr pryd byddai tri swyddog sirol yn gallu bod yn bresennol, sef Miss Kitty Evans, y cadeirydd, Mrs Menna Evans, yr ysgrifennydd a Mrs D. H. Jones a ddaeth i'r Parc i sefydlu'r gangen. Doeddwn i ddim wedi disgwyl unrhyw helynt yn y cyfarfod, meddwl efallai gan fod y tair ohonynt yn Gymry Cymraeg y byddent yn cytuno â ni ac am wneud eu gorau i gynyddu'r defnydd o'r Gymraeg yn y dyfodol.

Roedd Geraint a minnau wedi sôn wrth ein gilydd sawl gwaith cyn hynny fod angen mudiad newydd cwbl Gymraeg i ferched Cymru, ac roeddwn wedi dweud yr un peth wrth rai o ferched y Parc ond, y noson honno, doedd dim bwriad gennym i wahanu oddi wrth Sefydliad y Merched, dim ond protestio a cheisio gwella statws yr iaith yn y Sefydliad ei hun.

Roeddwn wedi paratoi agenda ar gyfer y cyfarfod a oedd yn cynnwys croesawu'r swyddogion sirol, rhoi cyfle iddynt siarad ac i ninnau ofyn cwestiynau, a thrafod materion megis ethol swyddogion newydd y gangen ar gyfer y flwyddyn ganlynol. Roeddwn hyd yn oed wedi paratoi papurau pleidleisio at y pwrpas hwn ac roedd y swyddogion sirol wedi cytuno ar y ffôn i weithredu fel cyfrifwyr y pleidleisiau.

Ond, o'r funud y cyraeddasant, roedd hi'n amlwg o'u hagwedd awdurdodol eu bod wedi dod yno i ddweud y drefn. Gwrthodent adael i'n Llywydd, Mrs Mari Davies, gadeirio'r cyfarfod na dilyn yr agenda. Nhw a lywiodd y cyfarfod, gan ddatgan mai mudiad Saesneg oedd y WI a'i bencadlys yn Llundain, felly ni allem ddisgwyl derbyn papurau swyddogol yn Gymraeg.

Serch hynny, llwyddais i ofyn pob un o'r chwe chwestiwn isod i'r swyddogion sirol, sef:

1. Gan fod mudiad Sefydliad y Merched wedi cychwyn yn Sir Fôn pan oedd bron cant y cant o'r merched yno yn siarad Cymraeg, sut daeth Saesneg yn iaith swyddogol y mudiad, ac a oes rheol yn bod yn nodi mai Saesneg yw iaith swyddogol y mudiad?

2. Yn ôl adroddiad ariannol y sir, mae Awdurdod Addysg Sir Feirionnydd yn rhoi grant blynyddol i Ffederasiwn Sefydliadau Merched y sir. Oni byddai'n deg defnyddio peth o'r arian hwnnw ar gyfer gwneud pethau yn yr iaith Gymraeg?

3. Beth fyddai'r gost ychwanegol o

gynhyrchu fersiwn Cymraeg o'r holiadur am addysg plant ar gefn y cylchlythyrau a aeth i'r canghennau Cymraeg, er mwyn eu hanfon yn ddwyieithog?

4. Mae cyfansoddiad Sefydliad y Merched yn pwysleisio'r egwyddor o ymarfer cyfiawnder. Ond ble mae'r cyfiawnder i'r iaith Gymraeg?

5. Rydym yn deall bod yr Alban yn rhedeg ei Sefydliadau Merched ei hun yn annibynnol o Lundain. Pam na all Cymru hefyd redeg ei sefydliadau ei hun?

6. Un o amcanion y mudiad yw, 'to provide for the fuller education of countrywomen in citizenship'. Onid yw hynny'n cynnwys dinasyddiaeth Meirionnydd a dinasyddiaeth Cymru? Os ydyw, oni ddylem roi lle o urddas i'r iaith Gymraeg yn ein mudiad?

Negyddol iawn oedd y mateb y swyddogion sirol i'r cwestiynau hyn. Yr unig ateb a gawsom oedd fod cyfansoddiad a rheolau'r WI wedi'u hargraffu yn Saesneg yn unig, a bod hwn ynddo'i hun yn profi mai Saesneg oedd iaith swyddogol y mudiad, a bod swyddogion WI y Parc, gan gynnwys fi fy hun wedi derbyn hyn drwy arwyddo'r rheolau Saesneg pan sefydlwyd y gangen yn y lle cyntaf. Dywedent hefyd y buasai'n rhaid i ferched y Parc dalu'r tâl a oedd yn ddyledus yn ogystal â derbyn cyfansoddiad a rheolau'r WI fel yr oeddynt neu drosglwyddo holl bapurau swyddogol Sefydliad y Parc i Ffederasiwn y Sir a pheidio â bod yn aelodau.

Tawedog iawn oedd gweddill aelodau'r Parc ac eithrio ambell un fel Sylwen Davies, ein his-lywydd, a dynnodd sylw at y ffaith fod Undeb Amaethwyr Cymru wedi'i ffurfio yn 1955 am nad oedd ffermydd bychain Cymru yn teimlo eu bod yn cael chwarae teg gan y National Farmers' Union.

Nid cenedlaetholwyr brwd dros eu hiaith a'u gwlad oedd y rhan fwyaf o ferched y Parc. Roeddynt yn cymryd y pethau hyn yn ganiataol. Nid arweinwyr mohonynt ac nid y math o bobl i godi twrw, fel y cyfryw.

Aeth swyddogion y sir i dŷ gerllaw i gael ymborth a oedd wedi'i baratoi ar eu cyfer wrth iddynt ddisgwyl ein penderfyniad. Cyn iddynt fynd, rhybuddiwyd ni i beidio â danfon adroddiad o'r cyfarfod i'r wasg.

Aeth ein Llywydd, Mrs Mari Davies, a gafodd y syniad o gychwyn WI y Parc yn y lle cyntaf, gyda nhw i helpu gyda'r ymborth. Ni chymerodd ran yn ein trafodaeth; erbyn hynny, roedd hi a'i gŵr eisoes wedi ymddeol i fyw yn y Bala.

Buasai'n gamarweiniol i ddweud bod gweddill merched y Parc yn unfrydol ar y mater chwaith. Nid oedd pob un o'r 23 aelod wedi dod i'r cyfarfod y noson honno ac, o'r 14 a oedd yn bresennol, nid oedd pawb yn gytûn ynglŷn â'r hyn y dylid ei wneud.

Roeddwn i am drosglwyddo ein papurau i'r swyddogion sirol yn y fan a'r lle ac am beidio â thalu ein cyfraniad ariannol i ffederasiwn WI y sir nac i'r ganolfan yn Llundain, ond roedd ambell un yn ofni colli'r berthynas ehangach gyda chymdeithas o ferched y tu hwnt i'r Parc a'r holl weithgareddau sirol a chenedlaethol.

Yn y diwedd penderfynwyd danfon y tâl a oedd yn ddyledus i'r WI, gan ddweud ar yr un pryd nad oeddem yn mynd i dderbyn mai Saesneg oedd unig iaith swyddogol y mudiad. Ac awgrymais i, pe bai'r swyddogion sirol yn danfon am ein papurau ac yn cau Sefydliad y Parc, y byddem yn parhau yn annibynnol ac yn cychwyn mudiad newydd cenedlaethol i ferched Cymru, a'r Gymraeg yn iaith swyddogol iddo.

Ychydig ddyddiau wedyn, ar ôl danfon yr arian atynt, cefais neges yn dweud wrthyf am gasglu papurau swyddogol WI y Parc at ei gilydd a'u gadael mewn gorsaf betrol yn y Bala i WI y sir eu casglu. Gwneuthum hynny, ond chlywsom ni ddim rhagor oddi wrthynt, dim hyd yn oed air i ddweud bod ein cangen wedi'i chau yn swyddogol.

Am rai misoedd parhaodd merched y Parc i gyfarfod yn fisol fel arfer. Roedd rhai o'r merched yn meddwl y dylem gadw at ddymuniad swyddogion WI Meirionnydd i beidio â sôn wrth y wasg am yr hyn a ddigwyddodd, ond roedd hi'n anodd gwybod sut i gychwyn mudiad newydd i ferched Cymru heb wneud hynny.

Daeth y gaeaf ac yna wanwyn 1967, a dim oll yn digwydd. Gwyddwn os nad oeddwn i yn mynd i wneud rhywbeth pendant i symud pethau yn eu blaenau, na fyddai neb arall yn gwneud ychwaith. Felly ym mis Ebrill mentrais godi'r mater unwaith eto. Roedd yr Eisteddfod Genedlaethol i'w chynnal yn y Bala y flwyddyn honno, ar garreg ein drws, felly awgrymais y dylem achub ar y cyfle i ddechrau'r ymgyrch bryd hynny. Euthum ati hefyd i lunio hysbyseb i'w rhoi yn y wasg:

Cymdeithas Merched Cymru
Bwriedir sefydlu mudiad cymdeithasol Cymraeg newydd i ferched yn ystod wythnos Eisteddfod Genedlaethol y Bala. Gofynnir i'r sawl sydd yn cefnogi'r bwriad ac yn dymuno gweld sefydlu cangen yn ei ardal ohebu ag ysgrifennydd Cymdeithas Merched Cymru, y Parc, y Bala, Meirion.

'Cymdeithas Merched Cymru' oedd fy

newis i fel enw i'r mudiad newydd. Awgrym Geraint oedd 'Merched y Wawr'. Roedd e'n teimlo bod angen enw mwy arwyddocaol, trawiadol a chyfoes.

Methais fagu digon o blwc i anfon yr hysbyseb i'r wasg. Sylweddolwn pa mor fawr oedd y fenter, ac roeddwn yn ymwybodol hefyd mai arnaf i y byddai'r rhan fwyaf o'r cyfrifoldeb. Teimlais fel milwr parasiwt mewn awyren yn ceisio cael yr hyder i neidio dros dir a oedd wedi'i feddiannu gan y gelyn, heb unryw sicrwydd y byddai'r parasiwt yn agor na neb arall yn neidio ar fy ôl.

A bod yn onest, dwy yn unig o ferched eraill y Parc a oedd wedi dangos unrhyw wir gefnogaeth frwdfrydig i'r fenter cyn hynny sef Sylwen Davies, a oedd bellach yn Llywydd ein cymdeithas fach i ferched yn y Parc, a Lona Puw na fu'n aelod o WI y Parc ond a ddaeth i'r adwy yn syth pan glywodd am y bwriad i ddechrau mudiad Cymraeg i ferched Cymru. Bu'r tair ohonom yn athrawon ysgol cyn dod yn famau llawn-amser, ac mae gennyf deimlad mai dyna oedd un o'r pethau a ddarbwyllodd y rhan fwyaf o'r gwragedd eraill i dderbyn ein harweiniad.

Gwyddwn na fyddai modd llogi pabell ar faes yr Eisteddfod, gwneud arddangosfa ar y stondin, cael lluniau a phosteri i roi ar y wal, argraffu taflenni a phob dim arall a oedd yn angenrheidiol er mwyn hysbysebu'r mudiad newydd, heb arian i wneud hynny. Felly penderfynwyd cynnal stondin yn Ffair y Bala ar 13 Mai i werthu jam a theisennau cartref a phethau ail-law, ymhlith pethau eraill, er mwyn ceisio codi tipyn o arian at y fenter.

Er mwyn ceisio cefnogaeth rhai o ferched eraill Cymru o'r tu allan i'r Parc, deuthum i gysylltiad â Mary Ellis o Aberystwyth a oedd yn un o aelodau blaenllaw Undeb Cymru Fydd, mudiad a oedd wedi'i sefydlu ryw 25 mlynedd cyn hynny i amddiffyn diwylliant Cymru. O ganlyniad cefais wahoddiad i gwrdd â hi a rhai o aelodau eraill pwyllgor merched y mudiad yn eu cynhadledd yn Llansannan ar 13 Mai. Gofynnais i Sylwen Davies ddod gyda fi. Yr unig drafferth oedd fod y dyddiad hwnnw yr un diwrnod â Ffair y Bala, felly bu raid i ni drosglwyddo'r cyfrifoldeb am ein stondin yn y ffair i ferched eraill.

Sgwrs anffurfiol iawn a gafwyd gyda swyddogion pwyllgor merched Undeb Cymru Fydd o gwmpas y bwrdd te ar ddiwedd eu cynhadledd. Dangosodd eu Llywydd, Enid Wyn Jones, ddiddordeb mawr yn ein bwriad, ac roedd hi'n dwlu ar yr enw 'Merched y Wawr'. Awgrymodd hefyd y gellid defnyddio eu cylchgrawn *Llythyr Ceridwen* fel cylchgrawn ein mudiad newydd, ond doedd hi ddim yn gallu addo unrhyw gefnogaeth bendant heb roi'r mater o flaen cyfarfod llawn o'u holl haelodau, yn ddynion a merched, yn gyntaf. Ond ni fyddai hynny'n digwydd am beth amser.

Yn ôl yn y Bala roedd stondin Cymdeithas Merched y Parc wedi denu cryn sylw, a'r holl hanes am y WI a'r syniad o ddechrau mudiad newydd bellach yn hysbys. Ar ôl clywed y stori, aeth Meirion Jones, prifathro ysgol gynradd y Bala, heb ofyn caniatâd yr un ohonom, ar y ffôn i'r BBC a datgelu'r hanes.

Wedi i ni gyrraedd yn ôl o Lansannan cefais alwad ffôn gan T. Glyn Davies o'r BBC, a'r diwrnod wedyn daeth mwy o bobl y cyfryngau ar y ffôn yn ceisio cyfweliad. Doedd dim dewis gennym bellach ond bwrw ymlaen â'r fenter. Aeth Sylwen a Lona a minnau gyda'n gilydd i wynebu camerâu'r BBC a TWW. Pan ddangoswyd yr eitem ar y teledu y noson honno, dwi'n cofio Dafydd Iwan ifanc yn ymddangos ar yr un rhaglen yn canu 'Cân yr Ysgol' am y tro cyntaf.

Rhoddais gyfweliad ar y ffôn i sawl papur newydd a chyrhaeddodd Geoff Charles o'r *Cymro* ein tŷ ni yn hollol ddirybudd. Tynnodd sawl llun ohonof i a'r plant ond

171

gwrthodais iddo gyhoeddi unrhyw un ohonynt gyda'i erthygl ar y mudiad newydd rhag ofn y byddai merched eraill y Parc yn meddwl fy mod i'n ceisio tynnu sylw ataf fy hun. Roedd yn rhaid iddo fodloni ar gyhoeddi llun o'r ysgol yng nghanol y pentre lle cychwynnodd Merched y Wawr.

Nid oeddem wedi bwriadu dechrau'r ymgyrch mor fuan cyn yr Eisteddfod ond, ar ôl i'r newyddion dorri, allen ni ddim fforddio peidio ag achub ar bob cyfle i gael cyhoeddusrwydd i'r mudiad newydd. O fewn wythnos cawsom gais i fynd i'r Ganllwyd ger Dolgellau i ddechrau cangen yno hefyd.

Roedd ambell lythyr diddorol iawn ymysg y myrdd o lythyrau llongyfarch a gyrhaeddodd yn ystod yr wythnosau cyntaf. Daeth un oddi wrth ddyn busnes yng Nghaliffornia a welodd hanes dechrau'r mudiad yn y *San Francisco Chronicle*. Daeth un arall oddi wrth WI Withycombe, ger Minehead yng Ngwlad yr Haf, yn dymuno'n dda i ni ac yn dweud:

> We sympathise with you as we also are rebels. We made a protest about the request for £1½ million for London Headquarters. This resulted in a visit from our WI County Chairman, which did nothing to alter our attitude.

Daeth llythyr arall oddi wrth wraig oedrannus yn Sir Fôn a oedd yn bresennol yng nghyfarfod cyntaf oll y WI yn Llanfair-pwll hanner canrif cyn hynny. Pwysleisiodd mai Cymry Cymraeg oedd holl aelodau'r gangen arloesol honno.

Wrth sôn am lythyrau llongyfarch, teimlaf fod yn rhaid nodi yma eiriau Hafina Clwyd mewn llythyr ataf pan oedd Merched y Wawr tua phum mlwydd oed:

> Rhaid i mi eich llongyfarch ar eich
> gweledigaeth yn cychwyn mudiad mor
> ardderchog ac mor llwyddiannus. Roedd
> y Dr Kate Roberts yn dweud wrthyf yn
> 'steddfod y Fflint ein bod wedi bod yn hurt
> bost yng Nghymru drwy'r blynyddoedd
> yn dilyn y WI yn llywaeth, ac yn gadael i
> Saesnes ddod i ddangos inni sut i wneud
> pethau!

Ond yn ôl at 1967. Doedd dim llawer o arian gennym i wario ar arddangosfa broffesiynol yn y babell roeddem wedi'i llogi ar gyfer Merched y Wawr ar faes Eisteddfod Genedlaethol y Bala, ond trefnais i Eifion Evans, perchennog Gwasg y Sir ddod i dynnu nifer o luniau o aelodau cangen y Parc yn gwneud gwahanol weithgareddau er mwyn i mi eu gosod yn y babell gyda manylion am y mudiad. Gofynnais yr un wasg argraffu taflenni yn rhoi gwybodaeth am y mudiad newydd, ynghyd â ffurflen ymaelodi i'w llenwi gan ferched a ddymunai weld cangen yn cael ei sefydlu yn eu hardal. Euthum ati fy hun hefyd i wneud gwahanol bosteri gyda llythrennau bras wedi'u torri o hen gerdiau lliwgar, a gwnaeth gŵr Sylwen arwydd mawr pren i'w osod ar flaen y babell. Trefnais rota o Ferched y Wawr y ddwy gangen arloesol, y Parc a'r Ganllwyd, i staffio'r babell, a chyda help stensil, peintiais y geiriau 'MERCHED Y WAWR' ar ryw ddwsin o rubanau lliwgar i ferched bach y Parc eu gwisgo o gwmpas eu hysgwyddau i hysbysebu'r mudiad wrth gerdded o gwmpas y maes. Cyfansoddodd Dan Puw, gŵr Lona, eiriau cân recriwtio, 'Ymunwch â Merched y Wawr', i'w chanu gan dair chwaer o'r Parc ar y dôn 'Hen Feic Penny Farthing fy Nhaid'.

Ond nid gweithgareddau Merched y Wawr yn unig a hawliai sylw yn ein tŷ ni yn y cyfnod a oedd yn arwain at yr Eisteddfod. Roedd Geraint yn aelod o'r Pwyllgor Llên ac wedi bod yn mynychu cyfarfodydd ers misoedd. Gwnaed ef yn gyfrifol am y Babell Lên a'i harddangosfa am hen feirdd a llenorion Meirionnydd. Gan fod y babell honno – yn wahanol i un Merched y Wawr – yn un swyddogol, roedd llawer mwy o adnoddau ar gael iddo gynllunio arddangosfa fwy proffesiynol gyda fframiau pren a gwydr.

Gan fod ein dau fab erbyn hynny yn eu harddegau cafwyd ambell drafodaeth rhwng Geraint a minnau ynglŷn â sut y gellid gwneud yr Eisteddfod yn fwy deniadol i bobl ifanc yr oes gyfoes. Bryd hynny, doedd dim Maes B, dim cystadlaethau pop, dim pabell roc a phop, dim byd o gwbl ar gyfer yr oes fodern. Derbyniodd y Pwyllgor Llên yr awgrym i gael cystadleuaeth yn yr adran farddoniaeth am 'eiriau tair cân ysgafn ar unryw alaw wreiddiol'. Yna, yn dilyn sgwrs yn ein tŷ ni, cododd Geraint y syniad o ddefnyddio'r Babell Lên roedd yn gyfrifol amdani i ddenu Dafydd Iwan i draddodi darlith ar eiriau canu pop cyfoes a chanu rhai o'i ganeuon ei hun, a chael ambell grŵp arall i berfformio eu caneuon hefyd. Roedd y Babell Lên dan ei sang ar gyfer yr achlysur, a dwi'n cofio sŵn Y Blew yn fyddarol mewn lle mor gyfyng! Dyna oedd dechrau holl weithgareddau'r sîn roc a phop sydd bellach yn rhan o ddigwyddiadau'r Eisteddfod Genedlaethol heddiw.

Llogais awr ym Mhabell y Cymdeithasau ar ddydd Gwener yr Eisteddfod er mwyn i Ferched y Wawr gael cyfarfod cyhoeddus i lansio'r mudiad. Addawodd Lona a dwy ferch o gangen y Ganllwyd, Ada Evans a Betsi Roberts, ddod yno i ddweud gair, byddwn innau hefyd yn siarad a chytunodd Sylwen i gadeirio'r cyfarfod. Dwi'n credu ei bod hi'n wir i ddweud bod pob un ohonom yn teimlo'n nerfus ac yn ofnus iawn. Ofni beth, dwi ddim yn siŵr, ofni siarad yn gyhoeddus i ddechrau, ofni'r holl fenter, ofni efallai y byddai'r WI yn tarfu ar y cyfarfod ac y buasai rhyw ddadl yn digwydd, neu ofni na fuasai neb yn dod i'r cyfarfod ac y buasem yn gwneud ffyliaid ohonom ni ein hunain. Rai wythnosau cyn hynny, roedd J. E. Jones, trysorydd Plaid Cymru, wedi fy nghynghori y buasai'n syniad da i mi anfon gwahoddiadau at nifer o ferched y tybiwn y byddent yn gefnogol i'r fenter i ddod i'r cyfarfod er mwyn sicrhau cynulleidfa, ond dewisais beidio â gwrando ar ei gyngor.

Er mwyn bod yn rhydd i fynd i annerch yn y cyfarfod roedd yn rhaid i mi gael rhywun i warchod fy nwy ferch fach, a chan fod Geraint yn brysur yn y Babell Lên, euthum i â nhw cyn y cyfarfod i'r feithrinfa ar y maes. Yn eironig iawn, pwy oedd ar ddyletswydd yn y feithrinfa ond Kitty Evans, Llywydd y WI yn Sir Feirionnydd, un o'r swyddogion a ddaeth i'r Parc y noson dyngedfennol honno ym mis Rhagfyr. Rhaid imi ddweud bod ei hagwedd hi yn llawer iawn cleniach wrthym y noson honno nag agwedd y ddwy arall. Croesawodd fy mhlant i'r feithrinfa a dymunodd bob llwyddiant i mi yn yr ymgyrch. Ychwanegodd y buasai hithau'n ymuno â Merched y Wawr, pe na bai hi mor brysur gyda gwaith y WI.

Pan gyrhaeddais y cyfarfod roedd y lle eisoes dan ei sang, pob sedd yn llawn, merched llawn cyffro a rhai dynion yn eu mysg yn sefyll yn y cefn ac o gwmpas yr ochrau, a phobl y wasg a'r camerâu teledu ym mhobman. Roedd hyn oll yn creu teimladau cymysg iawn ynof fi. Ar y naill law roedd yn fy nychryn, gan mai fi a fu'n gyfrifol am ddechrau'r holl gynnwrf a doedd dim troi'n ôl bellach, ond ar y llaw arall roedd gweld yr holl ferched brwdfrydig yn fy ysbrydoli, ac yn rhoi hyder a phenderfyniad i mi.

Bu'r cyfarfod yn llwyddiant mawr, wrth gwrs, a phobl yn tyrru o'n cwmpas ar y ffordd allan o Babell y Cymdeithasau yn ein llongyfarch, yn holi cwestiynau ac yn gadael eu henwau a'u cyfeiriadau gyda ni er mwyn ymaelodi.

Ar ôl y cyfarfod bu raid i Geraint a minnau adael yr Eisteddfod. Y rheswm am hyn oedd ein bod eisoes wedi gwneud trefniadau i gychwyn y prynhawn hwnnw ar daith wersylla gyda'n plant i'r Undeb Sofietaidd, gan deithio yno drwy Sgandinafia ac o gwmpas y Cylch Arctig a dod yn ôl drwy'r

Almaen. Sut roeddem wedi cael yr amser i baratoi a phacio ein holl bethau gwersylla a bwyd a dillad o flaen llaw, a'u rhoi ar do y car, wn i ddim!

Roedd hynny yn nyddiau y 'Llen Haearn' a chyn dymchwel Wal Berlin. Bu raid i ni hysbysu'r awdurdodau yn Rwsia o'r union lwybr y bwriadem ei ddilyn drwy'r Undeb Sofietaidd, gan gadw at ffyrdd penodedig a llogi lle o flaen llaw ym mhob gwersyll y bwriadem aros ynddo.

Mae'r dyddiadur a gedwais yn ystod y daith honno gennyf o hyd, a dyma ambell beth y sylwais arno a nodi ynddo:

> Roeddem yn cyrraedd Sweden yr union adeg pan oeddynt yn paratoi i newid drosodd o yrru ar yr ochr chwith i'r ffordd fel ym Mhrydain i yrru ar yr ochr dde fel yng ngweddill Ewrop. Roeddynt eisoes wedi rhoi'r arwyddion newydd i fyny ar yr ochr dde ond wedi'u cuddio â sachau. Symudwyd y sachau i ffwrdd yng nghanol y nos a'u rhoi ar yr arwyddion ar yr ochr chwith, a'r diwrnod wedyn bu raid i bawb gychwyn allan ar yr ochr wahanol.
>
> Allan yn y wlad roedd coed pîn ym mhobman y ddwy ochr i'r ffordd a gwelsom garw yn croesi'r ffordd o flaen y car.
>
> Wrth i ni deithio i'r gogledd roedd y dydd yn ymestyn tan roedd hi'n olau bron drwy'r

nos a chawsom drafferth mynd i gysgu yn y babell.

Hyd yn oed o fewn Cylch yr Arctig roedd y tywydd yn ddigon cynnes i Nia a Siân ymdrochi mewn llyn.

Yn rhai o'r gwersylloedd doedd dim drysau ar y tai bach a oedd y tu allan yn wynebu'r maes, a bu raid i ni fynd ag aelod arall o'r teulu gyda ni i sefyll fel sgrîn o'n blaenau.

Yn Rwsia roedd y merched i gyd yn gwisgo pensgarffiau trionglaidd, a rhai ohonynt yn cario ieuau pren ar eu sgwyddau a bwcedi yn hongian arnynt.

Aethom heibio i sawl grŵp o ferched yn golchi dillad yn yr afon.

Roedd y rhan fwyaf o'r pentrefi cefn gwlad wedi'u hadeiladu o bren a oedd erbyn hynny wedi mynd yn hen ac yn adfeiliedig.

Yn un o'r pentrefi ymunom ni â chiw hir i brynu bara o siop pobydd ond chwifiodd y bobl eraill ni i flaen y ciw.

Yn ymyl pentref arall gwelsom orymdaith angladd yn mynd heibio ar droed. Cariwyd dwy arch heb gaeadau arnynt fel yr oeddem yn gallu gweld y cyrff y tu mewn.

Aethom heibio i'r ffarm a oedd yn gartre i Yuri Gagarin, y dyn cyntaf i fynd i'r gofod.

Yn rhai o'r siopau, hyd yn oed yn y dre, roedd y gweithwyr siop yn dal i ddefnyddio abacws.

Ym Moscow roedd y strydoedd yn llydan

iawn a dim trafferth o gwbl i barcio ar unrhyw stryd nac mewn unrhyw sgwâr. Ond cawsom ddirwy yn y fan a'r lle gan blismon am i ni fynd heibio i olau coch, nad oeddem wedi'i weld, yn hongian yn uchel yn yr awyr.

Torrodd y car i lawr dair gwaith tra roeddem ar y daith, ond yn Rwsia, lle daeth braich y gerbocs i ffwrdd, gwrthododd dyn y garej gymryd unrhyw arian am ei drwsio.

Yng Ngwlad Pwyl roedd certiau wedi'u tynnu gan geffylau neu ych ar y ffyrdd ym mhobman yn lle'r lorïau mawr roeddem wedi'u gweld yn Rwsia.

Bu raid i ni fynd i lysgenhadaeth Dwyrain yr Almaen i gael teithebau cyn mynd i mewn i'r wlad honno a oedd dan lywodraeth Rwsia.

Tra roeddem yn gwersylla yng Ngorllewin Berlin euthum yn ddidrafferth am dro drwy *Check Point Charlie* a Wal Berlin i ymweld â Dwyrain Berlin lle, unwaith yr oeddem i ffwrdd o gyffiniau'r Wal, y'n synnwyd ni gan normalrwydd y strydoedd a'r siopau.

Cyrhaeddom adref i'r Parc ar ôl ein taith ddiddorol i ddarganfod pentwr o lythyrau yn holi ynghylch Merched y Wawr yn fy nisgwyl; roedd y rhan fwyaf ohonynt oddi wrth ferched a oedd yn awyddus i weld canghennau yn eu hardaloedd hwy. Euthum ati i ysgrifennu, â llaw, ateb hir unigol i bob un ohonynt, gan roi manylion am y mudiad a chyngor ar sut i sefydlu cangen Doedd dim cyfrifiadur, prosesydd geiriau na llungopïwr gennym bryd hynny!

Yn y gogledd, yn ystod yr hydref, daeth gwahoddiadau i fynd i annerch grwpiau o ferched a dechrau canghennau yng Nghricieth, Gwyddelwern, Llanuwchllyn, Llanfyllin, Rhosllannerchrugog, Talsarnau, Cynwyd, Dinbych a'r Brithdir. Daeth Sylwen neu Lona gyda mi i bron bob un o'r lleoedd hyn.

Yn y De, aeth Bethan Llywelyn, mam ifanc a oedd yn byw ar y pryd yn Lôn-las ger Abertawe, ati i gasglu merched y pentre hwnnw at ei gilydd i sefydlu cangen yno, a digwyddodd pethau tebyg mewn nifer o leoedd eraill. Doedd dim rhaid ymdrechu i geisio recriwtio neb. Tyrrai merched i ymuno â ni ac i ffurfio canghennau. Erbyn y gwanwyn canlynol roedd 40 a mwy o ganghennau gan y mudiad, ac yn ystod y blynyddoedd cynnar gwelwyd y nifer yn cyrraedd 100, yna 200 a'r nifer yn dal i gynyddu.

Erbyn Nadolig 1967 teimlais ei bod hi'n hen bryd i ni ethol swyddogion cenedlaethol a llunio cyfansoddiad a rheolau mewn ffordd ddemocrataidd. Felly gofynnais am dri chynrychiolydd o bob un o'r 14 cangen a oedd wedi'u sefydlu erbyn hynny i ddod i gyfarfod yn Aberystwyth i ffurfio Cyngor Cenedlaethol Merched y Wawr.

Enwebwyd fi yn Llywydd Cenedlaethol yn syth, ond gwrthodais yr enwebiad. Roedd yn well gennyf barhau gyda'r gwaith mwy gweithredol roeddwn eisoes yn ei wneud, yn cynnwys trefnu pethau, ateb llythyrau, a gohebu â'r wasg, a chytunais dderbyn swydd Ysgrifennydd Cenedlaethol. Dewiswyd Gwyneth Evans o Gricieth, a fu'n cydweithio â Geraint fel arolygydd ysgolion y Llywodraeth, yn Llywydd.

Er hynny, cytunais i gadeirio'r cyfarfod cyntaf hwnnw o'r Cyngor Cenedlaethol. Roeddwn eisoes wedi llunio drafft o gyfansoddiad a rheolau, ar ffurf cyfansoddiadau ambell fudiad arall a oedd yn fy meddiant, gan ddethol ac addasu yn ôl yr angen. Aethom drwy'r gwahanol gymalau bob yn un yn ystod y cyfarfod.

Derbyniwyd y rhan fwyaf ohonynt fel yr oeddynt. Un neu ddau yn unig a achosodd drafodaeth, er enghraifft, beth yn union oedd ystyr y geiriau, 'Cymraeg yw iaith swyddogol y mudiad'? Roeddem am sicrhau bod y Gymraeg yn cael ei defnyddio ar ein papurau swyddogol a hefyd na fyddai'r iaith traddodi mewn unrhyw gyfarfod yn troi i'r Saesneg oherwydd cwrteisi pe bai un neu ddau o ddysgwyr yn bresennol. Mewn geiriau eraill, roeddem am greu cymdeithas naturiol Gymraeg lle byddai dysgwyr hefyd yn gallu cael y cyfle i glywed ac ymarfer yr iaith, hyd yn oed yn yr ardaloedd hynny lle nad oedd fawr o Gymraeg i'w chlywed ar y strydoedd. Penderfynwyd felly ychwanegu'r geiriau 'a iaith traddodi ym mhob cyfarfod' at y cymal 'Cymraeg yw iaith swyddogol y mudiad'.

Cafwyd peth trafodaeth hefyd ynghylch y cymal a oedd yn ymwneud â gwleidyddiaeth a chrefydd. Yn ystod yr wythnosau cyntaf ar ôl i'r newyddion am sefydlu Merched y Wawr dorri, roedd nifer o'r llythyrau llongyfarch wedi dod oddi wrth ganghennau o Blaid Cymru. Ar ben hynny, er bod merched o bob math ac o bob man yng Nghymru wedi heidio i ymuno, byddai'n deg i mi ddweud mai merched a oedd yn digwydd bod yn gefnogwyr Plaid Cymru oedd rhai o'r prif ysgogwyr a aeth ati i annerch cyfarfodydd lleol neu i gasglu enwau. Yn eu mysg roedd sawl enw adnabyddus fel y nofelydd Kate Roberts a weithiodd yn frwdfrydig iawn dros y mudiad yn ardaloedd Dinbych a'r Rhyl. Ym maes crefydd, roedd un enwad, sef y Presbyteriaid, wedi ceisio hawlio peth o'r clod am ddechrau'r mudiad gan fod aelodau gwreiddiol Merched y Wawr yn y

Parc yn digwydd bod yn aelodau o'r capel Presbyteraidd yno.

Teimlais felly fod angen pwysleisio nad oedd gan y mudiad gysylltiad ag unrhyw blaid wleidyddol nac enwad crefyddol a bod aelodaeth yn agored i bob merch, beth bynnag fo'i daliadau crefyddol a gwleidyddol.

Cafodd yr egwyddor hon ei derbyn yn unfrydol ac yn ddi-ddadl gan y Cyngor Cenedlaethol. Ond, ar ôl i ni drafod nifer o bethau eraill yn y cyfarfod, awgrymodd Marged Jones o gangen Llanfyllin y dylid ychwanegu'r gair 'Cristnogol' at y disgrifiad o'r mudiad. Gwrthwynebwyd ei hawgrym yn syth ac yn gryf gan weddill y cynrychiolwyr a fynegodd y farn na ddylid cyfyngu'r aelodaeth i Gristnogion yn unig ac y dylai'r mudiad fod yn agored i ferched o bob crefydd a dim crefydd fel ei gilydd.

Fel cadeirydd y cyfarfod, ni chymerais ran o gwbl yn y drafodaeth honno, dim ond gofyn a oedd eilydd i gynnig yr aelod o Lanfyllin a rhoi'r cynnig i bleidlais. Nid oedd neb o'r canghennau eraill yn fodlon cefnogi'r cynnig. Felly ni chafodd y gair 'Cristnogol' ei ychwanegu at y disgrifiad o'r mudiad yn y cyfansoddiad.

Er i mi ddweud dim ar y pryd roeddwn yn gwybod, hyd yn oed bryd hynny, gan nad oeddwn yn Gristion, y buaswn wedi gorfod ymddiswyddo yn y fan a'r lle a gadael Merched y Wawr pe bai'r penderfyniad wedi mynd fel arall, er mai fi a ysgogodd y mudiad yn y lle cyntaf.

Yn y blynyddoedd cynnar, un o gefnogwyr mwyaf selog niwtraliaeth y mudiad mewn materion yn ymwneud â chrefydd oedd y Llywydd newydd, Gwyneth Evans. Mewn llythyr ataf yn ei llawysgrifen ei hun yn 1969, nododd nifer o bwyntiau roedd wedi'u pwysleisio wrth agor cangen newydd yn Sir Fôn. Roedd un ohonynt yn darllen fel hyn: 'Nid mudiad crefyddol yw MYW – yn ôl y cyfansoddiad, trefnu "gweithgareddau addysgol, diwylliannol ac adloniadol" yw ei gwaith – does neb felly yn cael eu cau allan ar dir cred neu ddiffyg cred.'

Yn 1971 hefyd roedd un frawddeg mewn adroddiad yn ymwneud â'r mater yn *Y Cymro* yn darllen fel hyn: 'Dywedodd Miss Gwyneth Evans, sy'n bregethwr lleyg ei hun, mai mudiad seciwlar sy'n agored i bawb yw Merched y Wawr a'i bod yn rhydd i bawb drefnu drosto'i hun sut i addoli.'

***

Nid fy mwriad yma yw rhoi adroddiad cyhwysfawr a chronolegol o'r holl waith a ddaeth i'm rhan yn y blynyddoedd cynnar wrth geisio adeiladu sylfaen gadarn i Ferched y Wawr. Rhaid i mi fodloni ar nodi'n fras eu bod yn cynnwys gorchwylion megis: paratoi cynlluniau manwl ynglŷn â strwythur y mudiad; lansio a golygu cylchgrawn *Y Wawr*; trefnu gwahanol weithgareddau ar gyfer Merched y Wawr ar faes yr Eisteddfod Genedlaethol; trefnu teithiau tramor; trefnu bathodynnau a chystadleuaeth cân y mudiad; mynd i siarad â changhennau eraill; pwyllgora; siarad â'r wasg; ac ysgrifennu miloedd o lythyrau, a'u hateb. Roedd yn waith llawn-amser am bron i ddeng mlynedd, ond yn hollol ddi-dâl wrth gwrs.

Rwyf eisoes wedi rhoi mwy o fanylion am y gweithgareddau hyn ac am fy ymddiswyddiad yn 1975 mewn sawl man: mewn cyfres o erthyglau a ysgrifennais yn *Y Faner* yn 1977 ac a gyhoeddwyd yn ddiweddarach fel llyfryn o'r enw *Merched y Wawr: y Dyddiau Cynnar* (Gwasg y Sir, 1977), ac ar ddau dâp a wnaed gan Ferched y Wawr yn 2002 i'w cadw gyda'u casgliad yn Amgueddfa Werin Sain Ffagan. Rwyf hefyd wedi trosglwyddo fy holl lythyrau, dogfennau a nifer o bethau eraill yn ymwneud â Merched y Wawr i'w cadw yn y Llyfrgell Genedlaethol yn Aberystwyth.

Carwn wneud un sylw yn ymwneud â

dechrau Merched y Wawr. Hyd yn oed wrth sefydlu'r mudiad, roeddwn yn ymwybodol nad oes unrhyw beth yn parhau am byth. Cyn hynny bu mudiadau eraill i ferched yng Nghymru, yn cynnwys y rheiny a oedd yn gysylltiedig â dirwest ar ddiwedd y ddeunawfed ganrif a dechrau'r ugeinfed, ond mae syniadau ac anghenion yn newid gyda'r oes. Sylweddolais fod Merched y Wawr yn ymateb i'r angen a oedd yn bodoli ar y pryd, ond y byddai angen mudiad o fath arall o bosibl yn y dyfodol, a byddai'n rhaid derbyn hynny. Nid y mudiad ei hun a oedd yn bwysig ond y math o waith roedd yn gallu ei gyflawni tuag at ddyfodol yr iaith Gymraeg a'i ffyniant ar dafodau mamau a merched o bob oed. Serch hynny, roeddwn yn awyddus i fy maban gael hir oes.

Roedd yn fy mhoeni braidd felly fod llawer o aelodau o Ferched y Wawr ar y pryd yn tueddu i gysylltu Cymreictod â phethau hen ffasiwn, drwy gynnal arddangosfeydd o hen offer cegin yr oes a fu neu wisgo dillad roeddynt wedi'u hetifeddu gan eu hen neiniau neu eu hen fam-guod ar gyfer cyfarfodydd ffasiwn, gan feddwl mai dyna a wnaethai'r Cymry yn wahanol. Nid dyna oedd y ddelwedd roeddwn yn ei dymuno i Ferched y Wawr. Doeddwn i ddim am i'r mudiad fod yn amgueddfa; roeddwn am ei weld yn arwain y ffordd i'r dyfodol. Yn y cyswllt hwn, diddorol oedd sylwi ar eiriau Millicent Gregory, yn *Y Faner* (30 Medi 1983), dros 15 mlynedd yn ddiweddarach, yn beirniadu rhai o ganghennau Merched y Wawr am 'aros yn yr unfan'. Ychwanegodd: 'Nid oedd gweld ar raglen yr Ysgol Breswyl eleni mai ar ffurf Cymanfa Ganu y trefnwyd y cyfarfod agoriadol yn gwneud dim i dawelu pryderon y rhai sy'n ofni fod rhai canghennau o Ferched y Wawr yn ymdebygu i Gymdeithasau Merched y Capeli.'

***

Ddiwedd haf 1969 penderfynodd Geraint a minnau symud fel teulu i fyw i Dal-y-llyn. Roedd sawl rheswm wedi dylanwadu ar ein penderfyniad. Yn gyntaf, roeddem yn awyddus i brynu ein tŷ ein hunain yn hytrach na rhentu. Roeddem wedi cynnig prynu Pennant, ein cartref yn y Parc, ond doedd y capel ddim yn fodlon ei werthu gan fod sôn am benodi gweinidog newydd i'r capel a byddai angen y tŷ ar ei gyfer ef a'i deulu. Roedd Geraint hefyd wedi cael gwybod y byddai ei ddyletswyddau fel arolygydd y Gymraeg mewn ysgolion a dosbarthiadau allanol y brifysgol yn ymestyn i gynnwys rhan o Bowys a gogledd Ceredigion.

Roeddem wedi gweld byngalo pert, Tremlyn, ar werth, hanner ffordd rhwng Dolgellau a Machynlleth, ar y llechwedd uwchben Llyn Myngul yn Nhal-y-llyn yn edrych dros un o'r olygfeydd prydferthaf yng Nghymru. I ganol hyn oll, daeth helynt yr Arwisgo...

Roedd y penderfyniad i arwisgo'r tywysog Charles yn Dywysog Cymru yn 1969 yn un a barodd deimladau tanbaid ar y ddwy ochr ac a greodd helynt a rhwyg mewn sawl cymuned, pentre, côr, cymdeithas a mudiad drwy Gymru benbaladr.

Roedd yr adfywiad yn yr ysbryd o Gymreictod yn ystod y chwedegau yn mynd law yn llaw â pheth cynnydd yn rhengoedd Plaid Cymru, ac roedd llawer ohonom yn gweld penderfyniad y llywodraeth Lafur i drefnu arwisgo'r tywysog yng Nghaernarfon yn ffordd i wrthweithio hyn. I'r cenedlaetholwyr a'r aelodau ifanc o Gymdeithas yr Iaith Gymraeg, roedd arwisgo Sais yn dywysog Cymru yn sarhad ar eu cenedl, eu diwylliant a'u hanes.

Gwahoddodd Urdd Gobaith Cymru'r tywysog i ymweld ag Eisteddfod Genedlaethol yr Urdd yn Aberystwyth ac i annerch y gynulleidfa o'r llwyfan. Roedd ein mab, Steffan, ymysg tua cant o bobl ifanc yn cludo placardiau protest a gododd a cherdded allan pan ddechreuodd y tywysog siarad. Mewn noson lawen yn y pafiliwn yr un wythnos dwi'n cofio Dafydd Iwan yn dechrau darllen rhan o'r gerdd 'Fy Ngwlad' gan Gerallt Lloyd Owen:

Wylit, wylit, Lywelyn,
Wylit waed pe gwelit hyn.
Ein calon gan estron ŵr,
Ein coron gan goncwerwr,
A gwerin o ffafrgarwyr
Llariaidd eu gwên lle'r oedd gwŷr.

Ffrwydrodd y gynulleidfa ar unwaith, gyda hanner ohonynt yn cymeradwyo ac yn gweiddi'n frwdfrydig a'r hanner arall yn hwtian yn uchel ac yn bwian er mwyn ceisio boddi'r gerdd. Roedd pawb wedi cyffroi a'r olygfa yn gwbl anhygoel.

Bu bron i'r Arwisgo achosi rhwyg ym Merched y Wawr hefyd. Cafodd ein Llywydd Cenedlaethol, Gwyneth Evans, fel llywyddion mudiadau a phenaethiaid cyrff eraill yng Nghymru, ei gwahodd i gynrychioli'r mudiad yn y seremoni arwisgo yng Nghastell Caernarfon. Roedd hi mewn penbleth ynghylch beth i'w wneud. Pe bai'n derbyn y gwahoddiad gwyddai y byddai hanner ein haelodau drwy Gymru yn gadael y mudiad ond, pe bai hi'n gwrthod, buasai'r hanner arall yn gadael. Yn y diwedd, cafodd y broblem ei datrys drwy ffawd. Aeth hi'n wirioneddol sâl â chlefyd gwaed a bu raid iddi dreulio wythnosau yn yr ysbyty dros gyfnod yr Arwisgo.

Cododd rhyw gymaint o anghydfod yn ymwneud â'r mater hefyd mewn cyfarfod o Gyngor Cenedlaethol Merched y Wawr yn Aberystwyth. Roedd y cyfarfod yn digwydd bod ar yr un diwrnod â rali fawr yng Nghilmeri i wrthwynebu'r Arwisgo. Roedd rhai o'r aelodau'n dymuno gadael ein cyfarfod yn gynnar er mwyn mynd i'r rali, a chan fod rhai o'n swyddogion hefyd yn teimlo y buasent yn hoffi mynd yno, rhuthrwyd drwy'r agenda a llwyddo i orffen y cyfarfod yn gynharach nag arfer. Nid oedd hynny'n plesio pawb wrth gwrs, a chafwyd rhyw gymaint o brotestio, ond llwyddwyd i dawelu'r dyfroedd. Euthum innau ymlaen yn y car gyda Sylwen i Gilmeri er nad oeddem wedi bwriadu mynd. Roedd Geraint eisoes wedi cyrraedd yno gyda'r plant.

Fel yn achos pob digwyddiad brenhinol fel jiwbili, coroni, neu briodas, cafodd y rhan fwyaf o drigolion Cymru eu dylanwadu arnynt yn llwyr gan holl firi'r Arwisgo a'r holl gynnwrf gan y teledu a'r wasg. Ond y tro hwn, roedd yr achlysur yn bwysig i Gymru, ac roedd mwyafrif y Cymry gorfoleddus yn awyddus i dorheulo yn holl ogoniant a chyffro'r achlysur. Roeddynt yn dwlu ar y tywysog a rhuthrent i'w weld yn mynd heibio ar ei daith bropaganda drwy Gymru, i chwifio Jac yr Undeb, i drefnu partïon stryd i'r plant ac i gyflwyno'r mygiau swfenîr iddynt.

Doedd pethau ddim yn wahanol yn y Parc. Yn draddodiadol, tueddai cymdeithas amaethyddol ac anghydffurfiol cefn gwlad Cymru i gefnogi'r Blaid Ryddfrydol yn hytrach na'r cenedlaetholwyr, ac nid oedd gwragedd y pentre yn fodlon dilyn Sylwen, Lona a minnau y tro hwn. Dywedodd Sylwen wrthyf fod gwraig ffarm arall wedi dweud wrthi, 'Mae eisio bomio chi, Lona Puw a Zonia Bowen allan o'r Parc'. Cefais innau alwadau ffôn cas dienw. Roedd Steffan, a arferai dreulio ei amser sbâr yn helpu ar ffarm gerllaw, yn cael amser caled ar ei ffordd adref drwy'r pentre lle roedd nifer o wragedd yn ymgasglu ac yn chwifio mygiau swfenîr y tywysog yn ei wyneb ac yn gweiddi pethau cas. Cafodd hyd yn oed Nia ei cheryddu gan un o staff cegin yr ysgol a'i clywodd hi'n canu cân Dafydd Iwan, 'Croeso Chwedeg Nain', i rai o'r plant yn y pentre.

Ond, digwyddiad arall, os dwi'n iawn, a ddigiodd Geraint fwyaf. Tua'r un adeg â'r Arwisgo roedd cwpl a chanddynt nifer o blant ac a oedd yn byw yn un o'r tai cyngor ar fin symud i fyw i ardal arall. Galwyd pwyllgor i drafod sut orau i roi rhywbeth i'r plant i'w hatgoffa am eu cyfnod yn y Parc, ac aeth Geraint yno. Roedd te parti i'r plant eisoes wedi'i drefnu yn y pentre i ddathlu'r Arwisgo. Er mwyn ceisio dod â'r pentre yn ôl at ei gilydd yn hyn o beth, awgrymodd Geraint y gellid edrych ar y parti hefyd fel un i ffarwelio â'r plant a oedd yn symud i fyw. Byddai hynny, meddai, yn rhoi cyfle i bob un o blant y pentre, os oeddynt yn cefnogi'r Arwisgo ai peidio, fynd i'r parti gyda'i gilydd. Ond penderfynodd y pwyllgor beidio â derbyn ei awgrym, a rhoddwyd Beibl yr un i blant y teulu.

Roeddwn wedi mwynhau byw yn y Parc ar y cyfan, ond roedd yr amser wedi dod i symud ymlaen.

Tal-y-llyn a Gadael Merched y Wawr

ROEDDEM WRTH EIN boddau yn Nhal-y-llyn wedi ein hamgylchynu gan brydferthwch llyn a mynydd. Fel ym mhob tŷ roeddem wedi byw ynddo, roedd angen gwneud llawer o welliannau. Adeiladodd Geraint gyntedd newydd a staer i fynd i'r ystafell a oedd eisoes yn y to, a threuliais innau oriau yn yr haul yn ceisio cael trefn ar yr ardd oddi tanom a'r ddwy nant a oedd yn rhedeg drwyddi.

Pan symudom i Dal-y-llyn roedd Nia yn naw oed a Siân bron yn chwech. Yn ysgol y Parc roeddynt wedi mwynhau bod yn aelodau o'r Urdd. Gan nad oedd cangen o'r Urdd yn Ysgol Corris, penderfynodd Geraint a minnau ailddechrau'r adran bentre a fu yno ar un adeg. Gwyddem wrth gwrs mai mudiad Cristnogol oedd yr Urdd ond, er nad oeddem yn cyd-weld â phob un o'i pholisïau, fel yn achos capel y Parc a'r Brownies roeddem yn barod i gydweithio â nhw yn y pethau da roeddynt yn eu gwneud.

Buom yn cynnal yr adran am sawl blwyddyn. Byddwn i'n gwneud pob math o bethau fel crefftwaith a dawnsio gwerin gyda'r merched tra oedd Geraint yn chwarae pêl-droed gyda'r bechgyn. Dwi'n cofio dangos ffilmiau, trefnu parti Nadolig a disgo, gyda help Steffan, a mynd â llond bws i'r pantomeim yn Aberystwyth. Gyda help eraill o dro i dro, byddem yn hyfforddi'r plant i gystadlu yn eisteddfodau'r cylch a'r sir. Un tro penderfynais ysgrifennu cân actol, hyfforddi'r plant ar ei chyfer a gwneud bron bob un o'r gwisgoedd roedd eu hangen arnynt. Euthum cyn belled â'r Eisteddfod Sir; felly hefyd griw cydadrodd Geraint, a Nia a Siân gyda'r ddeuawd.

Arferai Nia a Siân hefyd berfformio fel deuawd canu pop, gyda Nia ar y gitâr a Siân ar y cazŵ. Fi a oedd yn ysgrifennu'r caneuon ac yn eu hyfforddi. Cawsant sawl gwahoddiad i ganu ar hyd y lle.

Dwi'n cofio mynd â grŵp o blant o Gorris i Wersyll yr Urdd yng Nglan-llyn hefyd, ond fy mod i wedi gwrthod y cynnig tra oeddwn yno i fod yn un o'r ddwy a fyddai'n gyfrifol am drefnu'r gwasanaeth crefyddol i'r aelodau ar y Sul. Wedi'r cwbl, nid rhywbeth cynhenid Cymreig oedd Cristnogaeth ond chwedloniaeth a fewnforiwyd o'r Dwyrain Canol.

Roedd gan yr Urdd berffaith hawl, wrth gwrs, i drefnu'r fath wasanaeth fel rhan swyddogol o'i gweithgareddau gan fod cyfansoddiad y mudiad wedi'i gwneud hi'n glir o'r dechrau mai mudiad Cristnogol ydoedd. Roedd Merched y Wawr yn wahanol yn hyn o beth gan eu bod nhw, yng nghyfarfod cyntaf y Cyngor Cenedlaethol, wedi gwrthod yr awgrym i ddisgrifio'r mudiad fel un Cristnogol.

Flynyddoedd wedyn, cefais rywfaint o foddhad pan ddechreuodd yr Urdd drafod y syniad o hepgor yr addewid i 'fod yn ffyddlon i Grist'. Roedd hyd yn oed ambell Gristion, fel y Parch. Aled ap Gwynedd, yn cytuno'n llwyr â'r newid ac yn ei weld yn arwydd o symud ymlaen. Meddai, 'Y gwir amdani ydi, er bod pawb yn cydnabod yr arwyddair, tydi'r rhan fwyaf o'r plant sy'n aelodau ddim yn Gristnogion bellach ac mae'n well bod yn onest am y peth'.

Yn ddiweddar, da oedd gweld bod y Sgowtiaid, y Guides a'r Brownies hefyd wedi newid yr addewidion y mae'n rhaid i'r aelodau newydd eu gwneud. Mae'r mudiadau hynny bellach yn derbyn yr egwyddor o fod yn gynhwysol yn hytrach na dilyn y polisi o wahaniaethu rhwng plant a phobl ifanc ar dir eu cred (neu gred eu rhieni yn hytrach).

Yn ddiweddarach sefydlwyd cylch

meithrin yng Nghorris gyda Mary Price yn ysgrifennydd a Geraint yn gadeirydd. Parhaodd yn y swydd honno tan i ni adael Tal-y-llyn flynyddoedd wedyn. Bûm innau'n athrawes wirfoddol yno am beth amser.

Toc ar ôl symud i Dal-y-llyn roeddem wedi prynu carafán yn lle'r babell i fynd i'r Eisteddfod Genedlaethol bob blwyddyn ac i barhau i deithio i wahanol wledydd. Ond un flwyddyn, ar ôl gweld cynnig da gan y cwmni Swan's Helenic ar gyfer caban teuluol ar fwrdd un o'u llongau, penderfynom ar fyr rybudd fynd â'r ddwy ferch fach gyda ni ar fordaith dair wythnos o amgylch ynysoedd Groeg. Hon oedd ein mordaith gyntaf ac, efallai oherwydd hynny, hon yw'r un sy'n sefyll yn fy nghof fel yr un fwyaf diddorol. Llong iwtilitaraidd iawn ydoedd, nid llong gyfareddol foethus fel y llongau pleser mawr sy'n cario cannoedd o bobl ar eu gwyliau heddiw. Roedd apêl y fordaith i ni yn yr ymweliadau addysgiadol a drefnwyd i wahanol ynysoedd a lleoedd hanesyddol bob dydd, ac roeddynt i gyd yn gynwysedig yn y pris!

Yn nes adref, roedd y gwledydd Celtaidd yn arbennig yn apelio atom. Yn ystod ei ddyddiau coleg yng Nghaerdydd, rai blynyddoedd cyn i ni gwrdd, roedd Geraint wedi astudio hen Gernyweg, hen Lydaweg a hen Wyddeleg. Roedd wedi bod yn Iwerddon ac yn gwybod llawer iawn am ei hanes. O'm rhan i, bu fy rhieni yn byw yn Iwerddon cyn i mi gael fy ngeni a ganed fy chwaer yno. Cafodd Geraint a minnau felly lawer o fwynhad yn crwydro Iwerddon, yr Alban a Llydaw gyda'r garafán, gan ymddiddori yn eu hieithoedd a'u diwylliant. Dechreuom fynychu'r Gyngres Geltaidd a gynhaliwyd ym mhob un o'r gwledydd Celtaidd yn eu tro. Ond, a bod yn hollol onest, oherwydd fy niddordeb cynnar yn yr iaith Ffrangeg, yr unig un o'r gwledydd Celtaidd roedd gennyf wir ddiddordeb ynddi oedd Llydaw.

Trefnais ambell daith i Lydaw ar gyfer Merched y Wawr ac, mewn cydweithrediad â Per Denez a oedd yn ddarlithydd mewn prifysgol yn Roazhon (Rennes), trefnais i rai o'r myfyrwyr a oedd yn dysgu Cymraeg yno ddod i dreulio peth amser ar aelwydydd aelodau Merched y Wawr yng Nghymru er mwyn ymarfer yr iaith. Daeth cwpl o'r hogiau i aros ar ein haelwyd ni am sbel. Llwyddais hefyd i gael gwaith i ferch o Lydaw yng nghegin Gregynog, a byddai hi'n dod atom i fwrw'r Sul.

Yn y cyfamser roedd Geraint a minnau wedi mynd ati i geisio dysgu ambell iaith Geltaidd arall heblaw'r Gymraeg. Prynodd Geraint gwrs Gwyddeleg yn cynnwys llyfrau a recordiau, a chefais innau gwrs Llydaweg drwy gyfrwng y Ffrangeg – doedd dim un yn bodoli bryd hynny drwy gyfrwng y Saesneg na'r Gymraeg. Rhaid i mi gyfaddef bod y Llydaweg yn llawer haws i rywun sy'n siarad Cymraeg ei dysgu nag ydyw'r Wyddeleg, a thrwy ymdrech ac ymroddiad symudais ymlaen yn weddol gyflym tra oedd Geraint dal ar y gwersi dechreuol. Byddai Nia a minnau yn cofio rhai o'r sgyrsiau byr Gwyddeleg roeddem yn eu clywed wrth i Geraint chwarae ei recordiau, ac yna'n defnyddio'r ymadroddion i gogio siarad Gwyddeleg â'n gilydd yng nghlyw Geraint er mwyn tynnu ei goes, ac yntau dal yn rhy swil i fentro ynganu gair!

Euthum ar nifer o gyrsiau carlam yn Llydaw hefyd, dau ym Mhrifysgol Roazhon (Rennes) ac un a gynhaliwyd gan sefydliad arall o'r enw Skol Vreiz (Ysgol Llydaw). Euthum i'r olaf gan fy mod i wedi sylwi yn gyflym, fel sawl un arall sydd wedi ceisio dysgu Llydaweg, bod mwy nag un ffordd o sillafu'r un geiriau. Yn rhyfedd iawn, roedd yn ymddangos bod y sillafiad a ddefnyddid yn dibynnu ar dueddiad gwleidyddol a chrefyddol y sawl a oedd yn ysgrifennu'r deunydd darllen, a bod gwleidyddiaeth gwahanol ochrau yn y Chwyldro Ffrengig dal i ddylanwadu dros 200 mlynedd yn ddiweddarach. Sylwais fod ein hathrawon ym Mhrifysgol Roazhon yn defnyddio dull cenedlaetholwyr a oedd hefyd yn Babyddion, tra oedd athrawon Skol Vreiz yn dueddol o fod ar yr ochr chwith yn wleidyddol ac yn credu mewn seciwlariaeth. Roeddwn am ddod i wybod mwy am ddwy ochr y ddadl, a synnais at yr elyniaeth chwerw rhyngddynt; byddai'r naill ochr a'r llall yn gwrthod dangos llyfrau ar eu stondinau a oedd wedi'u hysgrifennu gan y garfan arall.

Ond mae problem orgraff yr iaith yn fwy cymhleth na hynny mewn gwirionedd. Mae erthygl dda sy'n crynhoi hanes datblygiad y gwahanol ffyrdd o sillafu'r Llydaweg gan Mikael Madeg yn y gyfrol *For a Celtic Future*, llyfr a gyhoeddwyd gan yr Undeb Celtaidd (*Celtic League*) rai blynyddoedd yn ôl fel teyrnged i'w sylfaenydd a'i lywydd, Alan Heusaff. Mae gennyf innau ddwy erthygl yn yr un gyfrol, y naill yn Gymraeg ar 'Ddramâu cynnar Llydaw', a'r llall yn Saesneg ar 'Welsh Women's Magazines'. Daeth Geraint a minnau i adnabod nifer o'r Llydawyr ar y ddwy ochr.

Roedd Alan Heusaff yn un o'r cenedlaetholwyr Llydewig a oedd wedi gorfod ffoi i Iwerddon ar ôl yr Ail Ryfel Byd pan lwyddodd y cynghreiriad Prydain/America i ailgipio Ffrainc o ddwylo'r Almaenwyr. Yn ystod y rhyfel roedd y Llydawyr ifanc hyn ymysg y rhai a ffurfiodd gatrawd Lydewig yn rhan o fyddin yr Almaen gan fod yr Almaenwyr wedi addo hunanlywodraeth i Lydaw pe bai'r Almaen yn ennill. Yn Iwerddon roedd Alan wedi priodi Gwyddeles, a dysgu siarad Saesneg, Gwyddeleg a Chymraeg yn rhugl. Roedd yn gwneud llawer i hybu cydberthynas a chydweithio rhwng y gwledydd Celtaidd. Adeg ei anrhydeddu i urdd y wisg wen yng Ngorsedd Beirdd Ynys Prydain, ysgrifennodd lythyr at Geraint yn sôn am ei weithredoedd yn ystod y rhyfel gan egluro ei fod yn ifanc iawn ar y pryd.

Ymunais innau â'r Undeb Celtaidd er mwyn darllen y cylchgrawn *Carn* a gyhoeddwyd bob chwarter ac a oedd yn cynnwys newyddion ac erthyglau ym mhob un o'r ieithoedd Celtaidd. Bûm innau'n gadeirydd pwyllgor Cymru o'r Undeb am ryw ddeng mlynedd yn y saithdegau a'r wythdegau, ac yn mynd i'r gwledydd Celtaidd eraill yn eu tro fel cynrychiolydd ar y pwyllgor canolog. Mewn un pwyllgor yn Iwerddon, dwi'n cofio i mi dynnu sylw at y ffaith bod un o gymalau cyfansoddiad a rheolau'r mudiad yn amwys ei ystyr gan ei fod modd ei ddehongli mewn mwy nag un ffordd. Yr ateb a gefais oddi wrth y Gwyddelod oedd mai dyna oedd rhinwedd y cymal!

Pan oedd Nia a Siân yn Ysgol Uwchradd Tywyn, collais fy mam. Ar ôl byw ar ei ben ei hunan am sbel, a gyda fy chwaer yn ardal Birmingham wedi hynny, daeth fy nhad i fyw atom ni. Roedd yn ei nawdegau erbyn hynny ond yn parhau'n chwim ei feddwl ac yn weddol egnïol o gofio'i oed. Un o'i hobïau yn ei henaint oedd gwneud modelau gan ddefnyddio beth bynnag a oedd wrth law fel coesau matshys neu ddarnau o gortyn. Gwnaeth fodel hyfryd o eglwys gadeiriol ac un arall o deml aur y Sikhiaid yn Amritsar.

Wedi dod i Dal-y-llyn aeth ati i geisio dysgu Cymraeg. Byddai hefyd yn treulio llawer o amser yn gweithio yn yr ardd, ac un diwrnod sylwais ei fod, er gwaethaf ei oed, wedi dringo ar ben to'r garej i nôl rhywbeth! Byddai'n mynd o gwmpas gyda dau gyfaill arall o'r ardal yn hen gar un ohonynt, rhywbeth tebyg i'r tri hen gyfaill yn y rhaglen deledu *Last of the Summer Wine*.

Gadael Merched y Wawr

Er ein bod ni wedi gadael y Parc, byddwn dal i deithio yno unwaith y mis am gyfnod i fynychu cyfarfodydd Merched y Wawr nes i mi ymaelodi â changen Tywyn ac yna sefydlu cangen ym Mryncrug a changen arall yng Nghorris yn ddiweddarach.

Doeddwn i ddim yn ysgrifennydd

cenedlaethol Merched y Wawr ers hydref 1970, ond roeddwn dal i weithio'n ddygn dros y mudiad fel golygydd *Y Wawr*, trefnydd teithiau tramor, aelod gweithgar o'r pwyllgor gwaith, siaradwr cyson mewn canghennau a chyfarfodydd sirol, ac mewn cant a mil o ffyrdd eraill. Ac yn ystod salwch yr ysgrifennydd cenedlaethol newydd, Bethan Llywelyn, ailymgymerais â'r gwaith am rai misoedd nes i'r mudiad gael cyfle i ddewis rhywun yn ei lle. Ond hyd yn oed wedyn, roeddwn ar gael i roi cyfarwyddyd cyson i'r ysgrifennydd newydd.

Methais fynd i gyfarfod o Gyngor Cenedlaethol Merched y Wawr ym mis Mai 1972 oherwydd galwadau eraill, ond yn ystod y cyfarfod fe'm hetholwyd yn Llywydd Anrhydeddus y mudiad. Mewn llythyr ataf yn amgáu cyfraniad i'r cylchgrawn *Y Wawr*, ychwanegodd ysgrifennydd Merched y Wawr Sir Gaernarfon: 'A gaf fi hefyd ddal ar y cyfle hwn i'ch llongyfarch ar eich penodiad yn Llywydd Anrhydeddus y mudiad. Gresyn na allech fod yn y Cyngor Cenedlaethol diwethaf i weled drosoch eich hunan pa mor unfrydol ac eiddgar oedd pawb yno i gydnabod eich gwasanaeth i'r mudiad.'

Meddyliais am y geiriau hyn ryw dair blynedd yn ddiweddarach pan gyhoeddodd y swyddogion ar y pryd fod y Cyngor

Cenedlaethol wedi penderfynu bron yn unfrydol i gefnogi argymhelliad y Pwyllgor Gwaith i dderbyn fy ymddiswyddiad fel Llywydd Anrhydeddus ac fel aelod o'r mudiad.

Roedd yr anghydfod hirhoedlog a arweiniodd at fy ymddiswyddiad yn 1975 yn ymwneud yn bennaf ag anghytundeb rhwng dwy garfan sef, ar y naill law, y rheiny a fynnai'r hawl i ddefnyddio trefniadaeth a llwyfannau swyddogol Merched y Wawr i hyrwyddo eu daliadau crefyddol, ac ar y llaw arall, y rheiny a ddadleuai na ddylai'r mudiad roi bendith swyddogol ar ddaliadau neb o'r aelodau yn fwy nag ar ddaliadau aelodau eraill, ac na ddylid gwahaniaethu'n annheg rhwng aelodau ar dir eu cred.

Carwn yn gyntaf gywiro camargraff a roddwyd ar y pryd, yn fwriadol yn fy marn i, gan lywydd cenedlaethol y mudiad mewn datganiad i'r wasg yn dilyn cyfarfod o bwyllgor gwaith Merched y Wawr ym Medi 1975 (ac eto wrth annerch cynrychiolwyr y canghennau yn y cyfarfod llawn o'r Cyngor Cenedlaethol ym mis Tachwedd 1975) lle dywedodd, wrth sôn am fy ymddiswyddiad, 'Mae'n debyg mai mater y gwasanaeth crefyddol yn ystod y cynadleddau penwythnos yw prif asgwrn y gynnen'.

Trwy ddweud hyn rhoddodd gamargraff, yn gyntaf, fy mod i'n gwrthwynebu i'r merched gynnal gwasanaeth crefyddol ar y bore Sul yn ystod penwythnosau cenedlaethol Merched y Wawr ac, yn ail, mai dyna oedd fy rheswm dros ymddiswyddo. Nid oedd y naill na'r llall yn wir.

Mae'n wir fod peth anghytundeb wedi codi ryw chwe mis cyn hynny ynglŷn â sut i gyflwyno gwybodaeth am y gwasanaeth crefyddol ar y Sul i aelodau'r cynadleddau penwythnos: ai drwy roi manylion am y cyfarfod crefyddol fel rhan o'r rhaglen swyddogol (cynnig Merched y Wawr Bae Colwyn), neu drwy roi'r geiriau 'Cyfle i fyfyrdod' ar y rhaglen er mwyn rhoi cyfle cyfartal i'r rhai a chanddynt ddaliadau gwahanol hefyd drefnu cyfarfodydd yn yr un modd (gwelliant Sioned Penllyn, o'r Drenewydd). Y cyntaf a enillodd bleidlais y Cyngor Cenedlaethol, efallai gan nad oedd y gwelliant wedi cael ei roi ar yr agenda a anfonwyd allan i'r canghennau. Ond doeddwn i ddim yn ystyried bod y penderfyniad hwnnw gan y Cyngor yn ddigon o achos i mi ymddiswyddo. Roedd pethau eraill annheg yn digwydd yn y mudiad a oedd yn fy marn i yn llawer pwysicach, sef y rhai a ganlyn:

1. Rhan o waith pwyllgorau sirol Merched y Wawr oedd trefnu rali neu gyfarfod unwaith y flwyddyn i holl aelodau'r sir. Ond mewn rhai siroedd, Sir Gaerfyrddin a Sir Fôn yn benodol, daeth yn arferiad i drefnu'r cyfarfod blynyddol yn gyfan gwbl ar ffurf gwasanaeth crefyddol mewn modd a oedd yn golygu bod aelodau digrefydd neu o gred arall, nad oeddynt yn dymuno cymryd rhan mewn gwasanaeth o'r fath, yn cael eu diarddel o'r cyfarfod blynyddol yn llwyr.

Dywedodd rhai o'r aelodau difreintiedig hyn wrthyf – a chytunais â'u safbwynt – nad oedd ganddynt unrhyw wrthwynebiad i'r merched a oedd am addoli gynnal gwasanaeth gwirfoddol cyn y cyfarfod swyddogol neu ar ei ôl, ond teimlent y dylai'r cyfarfod sirol blynyddol ei hun fod yn rhywbeth y gallai pob aelod gymryd rhan ynddo gyda'i gilydd, beth bynnag fo'u cred.

2. Ar ben hyn, daeth yn arferiad i rai o'r swyddogion cenedlaethol a sirol gymryd mantais annheg o'u swyddi drwy ddefnyddio pob math o gyfleoedd i siarad o lwyfannau swyddogol Merched y Wawr, yn lleol, yn sirol ac yn genedlaethol, i'r pwrpas o bregethu ac argymell eu daliadau crefyddol hwy fel petaent yn rhagori ar ddaliadau aelodau eraill. Gwnâi hyn i

aelodau yn y gynulleidfa a oedd yn credu'n wahanol deimlo'n annifyr. Yr un fyddai fy ngwrthwynebiad wedi bod pe bai swyddog o anffyddwraig wedi camddefnyddio trefniadaeth a llwyfannau swyddogol y mudiad i hyrwyddo ei daliadau hi yn yr un modd.

Fel y gwelir yn y paragraffau uchod ac yn y rhai sy'n dilyn, y gair y ceisiaf ei bwysleisio yw'r gair 'swyddogol'. I mi roedd gwahaniaeth mawr rhwng gweithgareddau answyddogol, ymylol, y gallai unrhyw garfan o aelodau eu trefnu at eu dibenion eu hunain, a'r gweithgareddau swyddogol a drefnwyd yn enw'r mudiad, ac a oedd i fod yn agored i bob aelod beth bynnag eu daliadau crefyddol.

Teimlai rhai o'r aelodau yn gryf iawn ynglŷn â'r egwyddor hon. Ysgrifennodd un ferch o Geredigion i'r cylchgrawn *Y Wawr* yn dweud:

Meddyliais y byddai ein swyddogion cenedlaethol o leiaf, yn sefyll yn gadarn at y cyfansoddiad, ond na, distaw a rhanedig oeddynt. Pam y distawodd llais mwyn Gwyneth Evans a draethai mor glir a chroyw yn y dyddiau cynnar mai mudiad amholiticaidd a seciwlar oedd Merched y Wawr i fod? Mi wn i fod y gair bach seciwlar wedi diflannu o'r eirfa ers tro, ond yr un oedd yr egwyddor. Mudiad oedd i fod yn rhydd o grefydd a gwleidyddiaeth, wedi ei ffurfio i uno pob Cymraes i ymladd dros yr iaith a'r gymdeithas Gymreig.

A oedd rhywbeth yn y gosodiad yna na allai'r swyddogion ei lyncu? Os oedd, pam derbyn yr anrhydedd o fod yn swyddog? Onid gwaith swyddog mewn unrhyw fudiad yw gwarchod y cyfansoddiad? Ta prun am hynny, ni chafwyd arweiniad a chyflawnwyd yr analas.

Er fy mod i'n gwybod nad ataf i roedd hi'n anelu ei sylwadau ynglŷn â pheidio â dal swydd os nad oeddech yn gallu amddiffyn y cyfansoddiad, arhosodd ei geiriau yn fy mhen. Os oedd Merched y Wawr yn mynnu rhoi bendith swyddogol ar gred rhai aelodau yn fwy nag ar gred aelodau eraill, a thrin yr olaf fel aelodau ailddosbarth, doeddwn i ddim yn fodlon eu bod nhw'n gwneud hynny yn fy enw i. Nid dyna'r math o fudiad roeddwn wedi bwriadu ei gychwyn yn 1967, ac ni allwn barhau yn Llywydd Anrhydeddus ar y math hwnnw o fudiad yn 1975.

Yn fy llythyr ymddiswyddo dywedais fy mod, wrth greu'r mudiad, wedi rhag-weld cymdeithas a fyddai'n croesawu pob merch beth bynnag fyddai ei daliadau crefyddol;

mudiad a fyddai'n dangos parch i'r iaith Gymraeg yn ei holl weithgareddau ac a fyddai hefyd yn parchu gwahaniaethau barn grefyddol ei aelodau, heb roi bendith swyddogol ar y naill yn fwy na'r llall, ac fy mod wedi ymddiried yn swyddogion y mudiad, yn genedlaethol ac yn sirol, i beidio manteisio ar eu swyddi i wthio cred arbennig.

Eglurais yn y llythyr hefyd nad oeddwn erioed wedi gwrthwynebu hawl aelodau i ymgynnull i addoli. Yr hyn roeddwn wedi'i wrthwynebu oedd ymdrechion rhai aelodau i roi stamp swyddogol y mudiad ar eu cred benodol hwythau, ac arfer rhai swyddogion hefyd i argymell daliadau crefyddol arbennig i'r aelodau.

Dwi'n cyfaddef bod fy lythyr ymddiswyddo wedi'i ysgrifennu mewn termau braidd yn gyffredinol. Ond cyn iddo gael ei anfon ymlaen i'r Cyngor Cenedlaethol llawn a oedd yn gyfrifol am benderfynu polisi'r mudiad, cwrddais ag aelodau'r Pwyllgor Gwaith a rhoi eglurhad cyflawn o fy safbwynt gan roi manylion am achlysuron arbennig lle'r oedd yr uchod wedi digwydd, gan nodi enwau a chan ddyfynnu o bregethau penodol. Mi wnes hi'n hollol glir mai'r annhegwch y cyfeirir atynt ym mharagraffau 1 a 2 uchod oedd fy mhrif reswm dros ymddiswyddo ac nid 'mater y gwasanaeth crefyddol yn ystod y penwythnos'.

Ar ôl i mi egluro fy safbwynt, roedd yn rhaid i mi adael y cyfarfod am ddau reswm: yn gyntaf, fel un nad oedd bellach yn aelod o'r Pwyllgor Gwaith doedd dim hawl gennyf gymryd rhan yn ei drafodaethau, ac yn ail, roedd gennyf gyfarfod pwysig arall yr un dydd Sadwrn (o bwyllgor Emrys ap Iwan).

Doeddwn i ddim yn disgwyl cael unrhyw gefnogaeth gan y rhan fwyaf o aelodau'r Pwyllgor Gwaith a gadeiriwyd gan y Llywydd Cenedlaethol, Eleanor Glyn Thomas, gan mai nhw (yn ogystal â llywydd cyntaf y mudiad, Gwyneth Evans, a oedd wedi cadw i ffwrdd o'r cyfarfod) oedd yr union rai yr oeddwn yn eu beirniadu. Ond roeddwn wedi mynd yno ar gais arbennig un o'r prif swyddogion eraill a oedd wedi fy ffonio'n unswydd i ddweud wrthyf ei bod hi'n cytuno â'm safiad a'i bod hi'n bwriadu ymddiswyddo gyda fi pe bai'r Pwyllgor yn mynnu derbyn fy ymddiswyddiad. Ond gwnaeth hi ddim cadw at ei haddewid.

Teimlais bod mwy na'u siâr o wragedd Cymru yn dueddol o geisio plesio pwy bynnag yr oeddynt yn siarad â nhw ar y pryd, tra roedd pobl Swydd Efrog yn fwy parod i siarad yn ddi-flewyn ar dafod.

Ond i fynd yn ôl at fy eglurhad i'r Pwyllgor Gwaith, rhaid i mi nodi yma i'r Pwyllgor fynnu i'r wasg a'r cyfryngau eraill a oedd yn bresennol adael yr ystafell cyn i mi gael caniatâd i siarad. A chefais i'r argraff nad oedd aelodau'r Pwyllgor eu hunain yn fodlon gwrando'n iawn ar ddim byd roeddwn yn ei ddweud.

Roeddynt fel petaent eisoes wedi dod i benderfyniad ar y mater. Ac, heb ddisgwyl i'r Cyngor Cenedlaethol gwrdd, gwnaeth y swyddogion eu hunain ddatganiad i'r wasg yn dweud bod y Pwyllgor wedi penderfynu derbyn fy ymddiswyddiad, gan roi'r camargraff eto mae mater y gwasanaeth penwythnos oedd wrth wraidd y broblem.

Wedi darllen eu datganiad yn y wasg, ysgrifennodd Bethan Llywelyn, a oedd wedi bod yn y dyddiau cynnar yn Is-lywydd Cenedlaethol ac wedi hynny yn Ysgrifennydd Cenedlaethol y mudiad, lythyr i'r Cymro yn dweud:

Roedd yn siom mawr i mi heddiw ddeall bod Pwyllgor Gwaith presennol Merched y Wawr wedi derbyn ymddiswyddiad sefydlydd y mudiad. Nid wyf yn bersonol yn fodlon derbyn ymddiswyddiad Mrs Zonia Bowen, ac yr wyf yn ffyddiog fod yna

aelodau cyffredin eraill o'r un farn â mi.
Carwn alw ar Bwyllgor Gwaith y mudiad,
yn enw'r aelodau yma, i dynnu yn ôl unrhyw
benderfyniad gan ei roi gerbron y Cyngor
Cenedlaethol ym mis Tachwedd, fel y dylid
wedi ei wneud yn y lle cyntaf.

Mewn gwirionedd, yn fy marn i nid mater
i'r Pwyllgor Gwaith na'r Cyngor Cenedlaethol
ychwaith oedd penderfynu derbyn neu
wrthod fy ymddiswyddiad. Mater i mi fy
hunan oedd penderfynu ymddiswyddo ai
peidio.

Serch hynny, roeddwn yn disgwyl cael
gwahoddiad i fynd fy hunan i'r cyfarfod
hwnnw o'r Cyngor Cenedlaethol i egluro fy
safbwynt a fy rhesymau dros ymddiswyddo
iddynt hwy, ond ni ddaeth un. Roedd yn
amlwg i mi nad oedd y swyddogion am i
gynrychiolwyr y canghennau glywed beth
oedd gennyf i'w ddweud.

Casglais oddi wrth adroddiadau am y
cyfarfod yn y wasg bod y llywydd wedi rhoi'r
argraff fy mod yn gwrthwynebu i unrhyw
aelodau gynnal gwasanaeth crefyddol o
gwbl, ac ar ben hynny fy mod i'n mynnu bod
y Pwyllgor Gwaith yn ail-lunio cyfansoddiad
y mudiad. Roedd y gwirionedd yn hollol i'r
gwrthwyneb. Roeddwn wedi pwysleisio'n
gyson y pwysigrwydd o gadw ysbryd y

Cyfansoddiad a pholisi gwreiddiol Merched y Wawr.

Ond ymysg y rhai o'm cefnogwyr a ysgrifennodd i'r wasg, eglurodd un a oedd wedi bod yn bresennol yn y cyfarfod:

The dissenting minority [were] effectively silenced by being told that they could not speak or vote, only on behalf of the majority of their respective branches, a neat ploy that! The women who had come as individuals were not allowed to speak at all... To me the whole proceedings smacked of a witch-hunt.

Wrth gwrs, achosodd yr holl ddigwyddiad gryn anhapusrwydd i mi, ond yr hyn a'm blinai fwyaf oedd y ffaith nad oedd y rhan fwyaf o aelodau Merched y Wawr drwy Gymru na'r cyhoedd yn fwy cyffredinol wedi cael clywed fy ochr i o'r stori. Dwi ddim yn credu bod aelodau cyffredin ym mhobman, hyd yn oed merched y Parc (nad oedd, gyda llaw, wedi danfon cynrychiolwyr i'r cyfarfod uchod nad i'r cyfarfod o'r Pwyllgor Gwaith) yn gwybod yn iawn hyd heddiw beth oedd gwir asgwrn cynnen yr anghydfod na fy rhesymau dros ymddiswyddo.

Prosiectau Eraill a Galwadau Tramor

MEWN UN FFORDD roedd cael gwared â'r holl waith a'r cyfrifoldebau oedd wedi bod ynghlwm â Merched y Wawr ar hyd y blynyddoedd yn rhyddhad. Roedd llawer o bethau eraill gennyf ar y gweill, yn ymwneud yn bennaf â'r mudiadau Celtaidd a Chymdeithas Emrys ap Iwan a ffurfiwyd yn 1973. Pwrpas y gymdeithas honno, yn ôl y daflen sydd yn fy meddiant oedd:

> Hyrwyddo pob math o gyfnewid uniongyrchol rhwng pobl Cymru a phobl gwledydd eraill drwy: hybu cyfieithu i'r Gymraeg ac o'r Gymraeg, trefnu teithiau Cymraeg, lledaenu gwybodaeth am Gymru, cyfnewid teuluoedd neu grwpiau ysgolion, trefnu cyrsiau iaith carlam, darlithiau ac yn y blaen.

Roedd y rhan fwyaf o aelodau'r gymdeithas honno yn gallu siarad o leiaf un iaith arall heblaw'r Gymraeg a'r Saesneg, er nad oedd rheol ynghylch hynny. Y swyddogion oedd: Yr Athro Glanville Price (Llywydd), Yr Athro Caerwyn Williams (Is-lywydd), Ned Thomas (Cadeirydd) ac Elin Garlick, Cyril Cule a Humphrey Lloyd Humphreys (Ysgrifenyddion). Roedd Elin Garlick a'i gŵr, y bardd Eingl-Gymreig Raymond Garlick, wedi treulio rhyw saith mlynedd yn yr Iseldiroedd ac yn gallu siarad Iseldireg yn rhugl. Byddai Elin, prif ysgogydd y Gymdeithas, yn gofyn i mi, fel un o'r ychydig ferched ar y pwyllgor, ei helpu gyda phob math o bethau: cymryd cofnodion mewn cyfarfodydd, eu teipio a gwneud yn siŵr fod digon o gopïau i bawb; neu ei chynorthwyo gyda'r gwaith o groesawu a gweini lluniaeth i rai o'r gwesteion tramor cyn y gynhadledd lle roeddent i ddarlithio.

Ym Mehefin 1975, ddwy flynedd ar ôl i'r gymdeithas gychwyn, cefais lythyr oddi wrth Cyril Cule yn dechrau:

> Wn i ddim a ydych chi'n sylweddoli bod dyfodol Cymdeithas Emrys ap Iwan yn y fantol. Y drwg yw bod Mrs Garlick wedi cymryd cymaint o gyfrifoldeb ar ei hysgwyddau ei hunan, ac yna wedi mynd i'r Iseldiroedd am gyfnod amhenodol...
> Mae'n ddrwg gen i apelio atoch chi yn gwynfanus ac yn gyfrinachol fel hyn, ond

rwy'n teimlo fy mod mewn sefyllfa drwsgl. Efallai mai gwell fyddai i mi ymddiswyddo o'r ysgrifenyddiaeth.

Ni ddaeth Elin yn ei hôl, a dyna'r rheswm dros alw'r cyfarfod brys yn Aberystwyth a oedd yn digwydd syrthio ar yr un diwrnod â'r cyfarfod o Bwyllgor Gwaith Merched y Wawr y soniais amdano yn flaenorol. Etholwyd Gareth Jones, athro Rwsieg ym Mhrifysgol Bangor, yn llywydd newydd y Gymdeithas a Ned Thomas yn ysgrifennydd, ond ni ddigwyddodd llawer o ddim ar ôl hynny. Digon tebyg bod y rhan fwyaf o'r aelodau, yn enwedig y rhai hynny ar staff y prifysgolion, yn rhy brysur gyda gweithgareddau eraill. Mynegodd Cyril Cule ei siom oherwydd hynny, a bu'r ddau ohonom yn cydweithio, yn annibynnol, i gasglu a chyhoeddi rhestr o'r amrywiol fudiadau iaith a diwylliant yn y gwahanol wledydd Celtaidd.

Er gwaethaf tranc y mudiad, Cymdeithas Emrys ap Iwan oedd fy symbyliad i ddechrau cyfieithu nofel i blant o'r Llydaweg i'r Gymraeg, *Alanig an tri roue* gan Roparzh Hemon. Roedd Roparzh Hemon yn Llydäwr arall a ffoesai i Iwerddon pan yrrodd y cynghreiriaid yr Almaenwyr o Ffrainc tua diwedd yr Ail Ryfel Byd. Cyhoeddwyd fy nhrosiad o'r nofel gan Wasg y Sir yn 1984.

Digwyddiad arall a ddeilliodd o bwyllgorau Cymdeithas Emrys ap Iwan yn ôl yn 1974 oedd i Ned Thomas drefnu bod grŵp ohonom, sef ei deulu ef, Harri Pritchard Jones a'i deulu, Bedwyr Lewis Jones a'i deulu, a Geraint a minnau gyda Nia a Siân, yn mynd i aros i hen adeilad o'r enw Ti Skol Kozh (Yr Hen Ysgol), ym mhentre bach Kergloff yng nghanol y wlad yn Llydaw.

Pedair ystafell weddol fawr yn unig oedd yn yr hen ysgol, dwy lawr llawr ac un ohonynt yn gegin, a dwy fyny'r llofft i'r 17 ohonom gysgu ynddynt. Roedd y dodrefn yn llwm iawn a'r gwelyau ffrâm haearn yn ysigo ac yn anghyfforddus. Un tap dŵr yn unig a oedd yn yr ysgol sef yr un uwchben sinc y gegin lle roedd pob un yn gorfod cymryd ei dro i ymolchi, a doedd dim sôn am dŷ bach yn yr adeilad o gwbl! Drwy lwc roedd sgwâr y pentre gerllaw a rhes o doiledau cyhoeddus yno, er bod y rheiny hefyd yn rhai cyntefig iawn.

Serch hynny, cawsom wythnos hapus iawn yno. Roedd y tywydd yn braf ac yn gynnes. Roedd gan aelod arall o Gymdeithas Emrys ap Iwan, sef Humphrey Lloyd Humphreys, a'i wraig Lydewig, hen dŷ diddorol mewn pentref arall nepell o Kergloff. Byddai Humphrey yn cwrdd â ni mewn bws mini ac yn ein hebrwng o

217

gwmpas i ymweld â lleoedd diddorol. Un noson cawsom wahoddiad ganddo i *fest noz* yn un o ystafelloedd mawr ei gartref lle roedd pobl o bob oed, plant a hen bobl ei bentref, wedi ymgasglu i ddawnsio yn y dull Llydewig a bwyta crempog. Dro arall, byddem yn cynnau tân yn y cae bach a oedd yn perthyn i'r hen ysgol ac yn eistedd o'i gwmpas gyda Ned Thomas yn canu'r gitâr ac yn canu mewn Rwsieg.

Dwi'n cofio'r plant i gyd yn ymneilltuo i'r ystafell fawr lawr llawr yn yr ysgol un diwrnod i chwarae cardiau ac i'r oedolion, a oedd wedi bod yn torheulo, ymgasglu yn y gegin. Roedd Geraint a minnau wedi mynd i eistedd ar waelod y grisiau rhwng y ddwy ystafell i gadw llygad ar y plant a oedd, gyda llawer o chwerthin a gweiddi, yn chwarae'r gêm gardiau *Strip Jack Naked* lle byddai'r un a oedd yn colli pob rownd yn gorfod talu fforffed drwy ddiosg rhywbeth roedd ef neu hi yn ei wisgo. Ond roedd gêm y plant yn hollol ddiniwed. Pethau bach fel sbectol haul neu ruban gwallt oedd yr unig bethau roeddynt yn eu diosg. Beth bynnag, wrth glywed o'r gegin beth roedd y plant yn ei wneud, rhuthrodd Harri Pritchard Jones heibio i Geraint a minnau, heb ein gweld, ac yn syth i mewn i'r ystafell fawr i ddweud y drefn wrth y plant am chwarae gêm mor anfoesol. Methodd Geraint a minnau'n lân â chadw wyneb syth a chwarddodd y ddau ohonom wrth weld mai'r unig beth roedd Harri ei hun yn ei wisgo ar y pryd oedd pâr o drôns nofio lliwgar!

Roedd ein teulu ni wedi teithio i Kergloff yn syth o'r Gyngres Geltaidd a gynhaliwyd y flwyddyn honno yn Naoned (Nantes). Arferem hefyd fynychu'r Gyngres Astudiaethau Celtaidd Ryngwladol fwy academaidd a gynhelid unwaith bob pedair blynedd, yn cynnwys ysgolheigion o brifysgolion sawl gwlad.

Tua 1974 hefyd, roedd Con O'Connaill o Fwrdd Twristiaeth Iwerddon wedi cysylltu ag Urdd Gobaith Cymru a gofyn i'r mudiad hwnnw geisio sefydlu pwyllgor yng Nghymru ar gyfer yr Ŵyl Ban Geltaidd a oedd wedi dechrau yn Killarney. Roedd yr Urdd yn ei thro wedi trosglwyddo'r neges i nifer o gymdeithasau Cymraeg eraill, gan ofyn iddynt ddanfon cynrychiolwyr i ffurfio pwyllgor at y pwrpas. Roeddwn i wedi cael fy nanfon yno fel un o ddau gynrychiolydd Merched y Wawr ac yn y cyfarfod cyntaf, cefais fy ethol yn Gadeirydd, a hynny ar gynnig Meredydd Evans roeddwn yn ei adnabod ers ein dyddiau coleg ym Mangor. Cytunodd yntau i fod yn Is-lywydd.

Gwaith y pwyllgor oedd trefnu bod

cystadleuwyr o Gymru yn mynd i Iwerddon ar gyfer gwahanol gystadlaethau'r Ŵyl, yn cynnwys y gystadleuaeth a elwid bryd hynny yn 'Celteledu', sef fersiwn y gwledydd Celtaidd o'r *Eurovision Song Contest*. Dyna ddechrau'r gystadleuaeth a elwir heddiw yn 'Cân i Gymru'. Bryd hynny, doedd neb o'r sianelau teledu yng Nghymru na hyd yn oed Radio Cymru yn fodlon noddi'r gystadleuaeth, ond gyda chryn anhawster llwyddom i grafu digon o gyllid i gynnal y gystadleuaeth ein hunain a thalu treuliau'r enillwyr i fynd i Killarney. Euthum i'r Ŵyl yn Iwerddon bob blwyddyn am nifer o flynyddoedd gan drefnu, ymhlith pethau eraill, sioe ffasiwn o ddillad wedi'u gwneud gan gwmni o Sir Aberteifi, ond rhaid dweud i'r rhan fwyaf o'r gwaith o drefnu bysiau, y daith ar long a'r gwestai, gael ei wneud gan drysorydd gweithgar y pwyllgor, Tegwyn Williams o'r Rhyl. Efe sydd wedi dal ati drwy'r blynyddoedd ac, er ei fod dros ei 80 oed erbyn hyn, mae'n parhau i wneud y gwaith hyd heddiw.

Yn nyddiau cynnar yr Ŵyl Ban Geltaidd y cynllun oedd, wrth i'r ŵyl ddatblygu, ei gwneud hi'n ŵyl symudol fel bod pob un o'r gwledydd Celtaidd yn cael ei llwyfannu yn ei thro, os oeddynt yn dymuno gwneud hynny. Fel arbrawf, penderfynwyd cynnal gŵyl

Geltaidd yn Aberystwyth yng ngwanwyn 1979, 1980 a 1981 a byddwn i'n teithio o Dal-y-llyn i bwyllgora yno. Roeddwn hefyd yn aelod o'r pwyllgor a drefnodd yr Ŵyl Werin Geltaidd yn Nolgellau am rai blynyddoedd.

Deuthum i adnabod Jakez Gaucher, athro ifanc o Gwenrann (Guérande), yn un o gynadleddau'r Gyngres Geltaidd yn Llydaw. Roedd e'n awyddus i drefnu i unigolion yn eu harddegau o Lydaw ddod i Gymru ar ymweliadau cyfnewid, a daeth tair Llydawes ifanc i aros ar ein haelwyd ni ar wahanol adegau. Roedd Jakez hefyd yn awyddus i mi fod o gymorth iddo wrth drefnu i'w dref efeillio â Machynlleth. Ond roedd plant ysgol uwchradd y dref honno eisoes mewn cysylltiad â phlant ysgol arall yn Llydaw, felly cynigais Ddolgellau a bûm am beth amser yn ysgrifennydd pwyllgor gefeillio'r dref honno gan drefnu ymweliadau cyfnewid gyda phobl Gwenrann.

Roedd ambell aelod o bwyllgor gefeillio Dolgellau yn awyddus i ddysgu Llydaweg a chytunais i gymryd dosbarth nos ar eu cyfer yng Ngholeg Meirionnydd. Gan nad oedd llyfr gwersi Llydaweg yn bodoli yn y Gymraeg na'r Saesneg bryd hynny, euthum ati i addasu, fesul gwers, un o'r gwerslyfrau drwy gyfrwng y Ffrangeg roeddwn i wedi'i

ddefnyddio i ddysgu'r iaith sef *Brezhoneg ...
buan hag aes* gan Per Denez.

Pan euthum i achlysur yn yr Adran Geltaidd
yn Roazhon ar ddechrau Gorffennaf 1976,
dangosais fy llawysgrif o'r llyfr i'r awdur.
Roedd Per Denez wrth ei fodd ac yn
datgan, 'Rhaid iddo gael ei gyhoeddi! Mi
sgrifennaf yn syth at Dr Caerwyn Williams
yn Aberystwyth a bydd e'n trefnu i Wasg y
Brifysgol ei gyhoeddi.' Cymerodd ffotocopi
o holl dudalennau fy llawysgrif er mwyn eu
darllen. Ychydig ddyddiau ar ôl i mi gyrraedd
adref cefais lythyr oddi wrtho yn Llydaweg
yn dweud:

Roeddwn yn hapus IAWN efo'ch cyfieithiad, ac rwyf yn credu ei fod wedi'i wneud yn dda iawn. Rwyf wedi ysgrifennu at yr Athro Caerwyn Williams, ac rwy'n disgwyl am ei ateb. Buasai wedi bod yn well gennyf ddod i Gymru i drefnu pethau, ond ni allaf adael Llydaw cyn bod fy ngwaith wedi'i orffen.

A ellwch chi ysgrifennu'r eirfa yn daclus, fel rydych chi wedi'i wneud efo'r gweddill? Wedyn, byddaf yn gallu anfon y gwaith at yr Athro Caerwyn Williams – yn barod i'w argraffu. Mae gennyf ddau ffotocopi o'r gwaith yma.

Rhuthrais felly i deipio'r eirfa (30 tudalen) yn daclus a'i danfon ato.

Ar faes yr Eisteddfod Genedlaethol ddechrau fis Awst, a minnau'n gofalu am stondin y Celtiaid yno, daeth Rita Williams, darlithydd yn y Gymraeg a'r Llydaweg yn Aberystwyth, i'r babell. Wrth sgwrsio gyda hi ynglŷn â'r gwahanol lyfrau a oedd ar gael, digwyddais ddweud wrthi fy mod i wedi addasu llyfr Per Denez i'r Gymraeg a bod yntau'n trefnu iddo gael ei gyhoeddi. Cafodd sioc a dywedodd fod yr Athro Caerwyn Williams wedi awgrymu ym mhresenoldeb Per Denez, ryw dair blynedd cyn hynny, y byddai hi, Rita, yn fodlon cyfieithu ei lyfr i'r Gymraeg. Eglurodd mai'r rheswm am yr oedi oedd bod cyfieithiad o'r Ffrangeg i'r Saesneg o'r llyfr gwreiddiol yn cael ei baratoi gan Raymond Delaporte (un arall o'r cenedlatholwyr a oedd wedi ffoi o Lydaw i Iwerddon) ac roedd hi'n disgwyl i hwnnw ymddangos cyn iddi fwrw ymlaen â'r gwaith yn Gymraeg.

Roedd hi'n poeni cymaint am y peth nes i mi gynnig cydweithio â hi ar y cyfieithiad a rhoi enwau'r ddwy ohonom wrth y llyfr. Ond gwrthododd hi'r cynnig a mynd yn syth o'r Eisteddfod allan i Lydaw a darbwyllo Per Denez i ddisgwyl am ei llyfr hi yn hytrach na fy llyfr i. Ffoniodd Rita wedyn i adrodd yr hanes. I geisio achub ei gam roedd Per Denez wedi dweud celwydd wrthi. Dywedodd ei fod wedi egluro wrthyf, pan gynigiais y llawysgrif iddo, ei fod eisoes wedi cytuno i Rita gyfieithu ei lyfr ac fy mod i wedi gadael iddo wneud ffotocopi o'm fersiwn i er mwyn helpu Rita. Dywedodd Rita hefyd ei fod wedi gadael iddi edrych ar ffotocopi ond ei bod wedi gwrthod y cynnig i fynd â'r copi adref gyda hi.

Roeddwn i'n siomedig iawn yn ymddygiad Per Denez, ond doeddwn i ddim yn fodlon gadael i'm holl ymdrechion fynd yn ofer ychwaith, felly penderfynais ailwampio fy llawysgrif a gwneud llyfr amgen wedi'i seilio ar fy ngwersi ond a oedd yn hollol wahanol i'r llyfr gwreiddiol. Yn fy llawysgrif roeddwn eisoes wedi egluro elfennau'r gramadeg o safbwynt y Gymraeg yn hytrach nag o safbwynt y Ffrangeg, ond euthum ati hefyd i newid yr holl enghreifftiau a sgyrsiau Llydaweg a oedd yn y gwersi gwreiddiol a chael gwared ag unrhyw beth o law Per Denez. Ychwanegais hefyd adrannau yn ymwneud â phwyntiau gramadegol pellach nad oedd sôn amdanynt yn ei lyfr ef.

Cafodd Gwasg y Sir grant i gyhoeddi fy llyfr ond roedd peth oedi wrth ei argraffu gan iddynt orfod archebu *tilde* plwm (sef y symbol ˜ i'w roi uwchben yr 'n'). Wedi disgwyl am wythnosau, roeddwn yn bryderus y byddai llyfr Rita yn ymddangos gyntaf. Ni ddigwyddodd hynny, a chyhoeddwyd fy llyfr, *Llydaweg i'r Cymro*, ar ddechrau haf 1977, gydag ailargraffiad yn 1978. Gofynnais i ffrind arall i ni yn Llydaw, Ronan Caerleon, ddarllen y sgript Llydaweg a oedd gennyf ar gyfer fy ngwersi ar dâp, er mwyn gwneud casetiau i fynd gyda'r llyfr. Danfonais gopi o fy llyfr at Per Denez 'gyda fy nghyfarchion gorau'! Wedi peth oedi cefais lythyr yn ôl oddi wrtho ym Medi 1977. Canmolodd fy llyfr, ond, yn hytrach nag ymddiheuro am ei ymddygiad, roedd ganddo'r wyneb i ddweud yn Llydaweg: 'Ac, er gwaetha'r anawsterau, credwch yn dda nid wyf wedi digio yn eich erbyn. Mae cyfeillgarwch yn beth rhy werthfawr yn ein bywyd byr i gael ei anghofio.'

Ond os nad oedd ef wedi digio yn fy erbyn i, roeddwn innau wedi digio yn ei erbyn ef. Roedd wedi awgrymu cyn hynny y dylwn gydweithio ag ef i gyhoeddi cyfnodolyn dwyieithog, yn Gymraeg a Llydaweg ond, oherwydd y digwyddiadau uchod, gwrthodais y cynnig.

Pan euthum i'r Gyngres Geltaidd y tro nesaf, yn Stirling yn yr Alban, cwrddais â Raymond Delaporte. Gofynnodd i mi edrych drwy'r llawysgrif o'i gyfieithiad Saesneg ef o *Brezhoneg ... buan hag aes* a gwneud awgrymiadau. Cyhoeddwyd ei lyfr yn 1980 a llyfr Rita yn 1981. Sylwais fod Rita wedi glynu'n agosach at fy llyfr i nag at y llyfr gwreiddiol wrth egluro rhai o'r pwyntiau gramadegol mwyaf dyrys, a'i bod hithau wedi cynnwys darnau ychwanegol yn cyfateb i'r rhai roeddwn i wedi'u hychwanegu.

Erbyn hynny, yn 1980, roedd Gwasg y Lolfa wedi cyhoeddi llyfryn bach arall gennyf sef llyfr ymadroddion Cymraeg/Llydaweg o'r enw *Yec'hed Mat! Iechyd Da!* mewn ymateb i gais gan rai nad oedd yn hoffi'r ffordd ramadegol o ddysgu iaith. Erbyn hyn mae'r llyfryn hwnnw ar ei bedwaredd argraffiad.

Erbyn 1975, roedd Geraint wedi cyrraedd 60 oed ac wedi ymddeol o'i swydd gyda'r

Weinyddiaeth Addysg. Ond ar faes yr Eisteddfod Genedlaethol yr haf canlynol, daeth Gwilym R. Jones ato i gael sgwrs. Roedd Gwilym, ar y cyd â Mathonwy Hughes, wedi bod yn golygu'r *Faner* ers blynyddoedd lawer ac roeddynt wedi penderfynu ei bod hi'n amser iddynt roi gorau i'r gwaith. Dywedodd iddynt gytuno â pherchennog Gwasg y Sir, a oedd yn cyhoeddi ac argraffu'r papur, i ofyn i Geraint ymgymryd â'r gwaith. Gyda grant a oedd wedi'i addo gan Gyngor y Celfyddydau, y bwriad oedd newid diwyg *Y Faner* a'i droi o fod yn bapur newyddion i fod yn gylchgrawn wythnosol a fyddai'n ymdebygu i'r *Spectator*, *The Economist* neu'r *New Statesman*, ac yn ymwneud â gwleidyddiaeth, llenyddiaeth, yr economi, ymhlith pynciau eraill. (Economeg a gwyddoniaeth wleidyddol oedd pynciau Geraint ar gyfer ei radd gyntaf, nid y Gymraeg fel y tybid gan rai).

Rhaid i mi ddweud nad oeddwn i'n hapus iawn bod Geraint yn derbyn y cynnig i fod yn olygydd *Y Faner*. Roedd y profiad o olygu *Y Wawr* a'i baratoi ar gyfer y wasg bob tri mis yn ddigon o waith ac yn peri pryder, heb sôn am orfod cynhyrchu cylchgrawn ddwywaith ei faint a hynny yn wythnosol! Ond roedd Geraint, a fu'n cwblhau traethawd ar gyfer gradd Ph.D. yn y cyfamser, yn awyddus iawn i ymgymryd â'r prosiect newydd. Yn y

227

diwedd cytunodd i wneud y gwaith am ddwy flynedd a gweld sut hwyl y byddai'n ei gael.

Drwy gydol y ddwy flynedd hynny bu Geraint yn gweithio o fore gwyn tan hwyr y nos bob dydd, yn cynnwys penwythnosau, yn ceisio cyflawni'r holl waith. Roedd prinder arian yn y coffrau i dalu'r holl gyfranwyr ac roedd hynny'n broblem fawr. Ceisiais fy ngorau i'w helpu drwy ysgrifennu rhai adroddiadau ac erthyglau, yn cynnwys yr erthygl tudalen flaen ar ddau achlysur, a thynnu lluniau ar ei ran. Doedd hi ddim yn adeg hawdd i'n teulu ychwaith; roedd fy nhad gyda ni ac roedd y ddwy ferch yn sefyll arholiadau pwysig yn yr ysgol. Roedd y ddau fachgen wedi gadael y nyth ers tro.

Mae'n ddiddorol sylwi na fu i olygyddion amrywiol Y Faner a ddilynodd Geraint barhau yn hir iawn yn y swydd ychwaith. Roedd gan Geraint reswm arbennig arall dros roi'r gorau i'r Faner, sef cael ei ethol yn Archdderwydd Gorsedd Beirdd Ynys Prydain, gan ddechrau ar ei ddyletswyddau yn 1978.

Pan ildiodd Geraint awenau'r cylchgrawn y flwyddyn honno, cafodd sawl llythyr yn mynegi gwerthfawrogiad o'i waith. Gwynfor Evans a ysgrifennodd un ohonynt:

A chwithau wedi gorffen dwy flynedd o olygu'r *Faner* hoffwn eich sicrhau ein bod wedi gwerthfawrogi'n fawr eich gwaith trwm gyda'r cylchgrawn. Cawsoch gant neu fwy o rifynnau sylweddol a diddorol allan yn ystod eich golygyddiaeth a'n gosod ni Gymry yn drwm yn eich dyled.

Cefais fy mhlesio'n fawr pan etholwyd Geraint yn Archdderwydd, ond nid oedd hynny'n wir am bawb. Ym marn Geraint a minnau doedd dim rhaid bod yn dderwydd go iawn i wisgo dillad crand a chwarae rôl derwydd mewn pasiant fel yr Orsedd. Wedi'r cwbl, doedd dim un o'r Gorseddogion, am wn i, yn credu mewn derwyddiaeth mewn gwirionedd. Ond datganodd ambell aelod Cristnogol o'r Orsedd na fuasent yn mynychu seremoni orseddol tra oedd Geraint yn Archdderwydd. Trafodwyd y mater yn *Y Goleuad*, papur Eglwys Bresbyteraidd Cymru, a daeth cynigion yn condemnio penodiad Geraint o flaen Cymanfa Gyffredinol y Presbyteriaid gan fod rhai ohonynt yn credu y byddai'n cael, yn ôl y *Daily Post*, 'a deleterious effect on the cause of religion in our country'. Bu raid i Geraint hefyd ateb ei wrthwynebwyr ar un o raglenni radio Hywel Gwynfryn a gafodd ei neilltuo ar gyfer y pwnc.

229

Achosodd etholiad Geraint ryw gymaint o benbleth personol i mi hefyd, ond am reswm gwahanol. Roedd un o'r cyn-archdderwyddon, Gwyndaf, eisoes wedi fy enwebu i gael fy nerbyn i'r urdd Derwydd yn Eisteddfod Genedlaethol Caerdydd 1978. Roedd penodiad Geraint yn golygu mai fy ngŵr fy hun a fyddai'n fy nerbyn i'r wisg wen. Felly penderfynais ofyn iddynt ohirio fy nerbyn i'r Orsedd tan Eisteddfod Machynlleth yn 1981 pan oedd Jâms Nicholas wrth y llyw.

Cyn, yn ystod ac ar ôl cyfnod Geraint fel Archdderwydd bûm yn ffodus o gael cyfle i fynd gydag ef, ar sawl achlysur, i gynrychioli'r Orsedd mewn gweithgareddau yn y gwledydd Celtaidd eraill, yn eu plith orseddau Llydaw a Chernyw, y *Mod* yn yr Alban, yr *Oreachtas* yn Iwerddon a'r *Chruinnaght* ar Ynys Manaw. Mwynhaem bob un, a gwneud llawer o ffrindiau newydd.

Ym mis Awst 1979 roeddwn ar ddyletswydd yn uned y mudiadau Celtaidd ar faes Eisteddfod Genedlaethol Caernarfon pan ddaeth cwpl o'r Almaen i'r babell i chwilio amdanaf. Roeddynt am roi gwybod i mi fod Pwyllgor Gwyliau Berlin yn bwriadu cynnal wythnos Geltaidd yn y brifddinas honno ym mis Gorffennaf 1980, ac am ofyn a fuaswn yn fodlon mynd yno i roi darlith ar wragedd

Cymru yn y symposiwm a oedd yn cael ei threfnu fel rhan o'r ŵyl. Yna, ym mis Medi, yn hollol ddirybudd, cyrhaeddodd cwpl arall o Ferlin, sef trefnwyr yr ŵyl, Dr Almut Mey a'i gŵr Dr Wolfgang Mey, ein cartref yn Nhal-y-llyn. Gofynnwyd i mi roi dwy ddarlith yn y symposiwm, y naill ar ferched Cymru yn yr adran 'Y Gwragedd Celtaidd' a'r llall ar draddodiad diwylliannol Cymru yn yr adran 'Y Dadeni Diwylliannol yn y Rhanbarthau Celtaidd'. Teithiais i'r Almaen ar yr un awyren â Dafydd Iwan a oedd hefyd yn mynd i'r ŵyl.

Ar ddiwrnod olaf y symposiwm gwnaed dau ddatganiad, y naill yn ymwneud yn gyffredinol â statws yr ieithoedd Celtaidd yn y tiriogaethau o dan lywodraeth Prydain, Ffrainc a Sbaen, a'r llall yn ymwneud â'r ymgyrch dros gael sianel deledu Gymraeg yng Nghymru. Roedd y fersiwn Saesneg o'r olaf, a anfonwyd at Lywodraeth Prydain yn darllen fel a ganlyn:

Representatives of the Celtic nations meeting this week in Berlin
– profoundly moved by the information that Mr Gwynfor Evans, President of the Welsh National Party, is going to start on October 6th a hunger strike to death in order to obtain a television channel in Welsh for the people of Wales;

231

– remembering that this Welsh language channel was promised by both the Labour and Conservative governments and hearing that this promise has now been broken by a declaration in parliament by Mr Whitelaw, a declaration which has prompted Gwynfor Evans to decide on his proposed action;

– ask the British government to keep its promise of allocating the necessary monies to the TV channel in Welsh;

– pledge their support to Gwynfor Evans in his dramatic gesture to secure the fulfilment of the British government's promise, and will campaign on his behalf in their own countries;

– profoundly regret that centralist governments do not readily accept in practice to acknowledge the cultural rights of small nations whose destinies they at present control.

This declaration is unanimously supported by participants from various countries in western Europe at the end of a symposium about the Celts organised in West Berlin as part of a Celtic festival by the Berliner Festspiele (Berlin Festival Organisation), which provided the Celtic nations with an opportunity to meet and discuss their problems, and with a platform to express their views on their own future.

Yn y cyfamser, roedd digwyddiadau annisgwyl yn ein hardal ni yng nghanolbarth Cymru wedi peri i Geraint a minnau fod yn weithgar mewn ymgyrch brotest arall. Ar 17 Ionawr 1980 roedd Geraint i ffwrdd drwy'r dydd yn pwyllgora yn rhywle pan glywais ar y radio fod yr Ysgrifennydd Gwladol dros Gymru yn llywodraeth Margaret Thatcher, sef Nicholas Edwards, wedi cyhoeddi bod ardal rhwng Dolgellau a Machynlleth, gan ganolbwyntio ar Gorris, wedi'i neilltuo ar gyfer ymchwiliad i ddod o hyd i le addas i gladdu gwastraff niwclear. Roeddwn i'n gynddeiriog, ac yn benderfynol na fyddai'r fath beth yn digwydd! Roeddwn wedi cynhyrfu drwof, a phan gyrhaeddodd Geraint adref dyna'r unig beth a oedd ar fy meddwl. Druan ohono! Roedd wedi blino ar ôl taith hir ac yn methu deall beth a oedd wedi digwydd. Roeddwn innau'n methu deall pam nad oedd ef yn gwylltio hefyd, a pham ei fod mor ddigynnwrf. Ond roedd pobl eraill yn yr ardal wedi cynhyrfu hefyd. Ychydig ddyddiau wedyn, daeth Geraint gyda fi i gyfarfod a alwyd yng Nghorris i drefnu mudiad amddiffyn, ac etholwyd Geraint yn Gadeirydd y mudiad.

Wedi i mi gyrraedd adref y noson honno aeth Siân a minnau ati i geisio dyfeisio enw byr, bachog i'r mudiad newydd gan chwarae gyda llythrennau blaen rhai geiriau megis Niwclear, Gwastraff, Amddiffyn, Corris a Dulas. (Dulas yw enw'r afon a'r dyffryn cul sy'n rhedeg drwy Gorris ar y ffin rhwng Meirionnydd a Phowys). Yn y diwedd penderfynom ar MADRYN (hen enw ar lwynog) er mwyn cyfleu Mudiad Amddiffyn Dulas Rhag Ysbwriel Niwclear. Ond wrth i'r mudiad ymestyn ei ffiniau ac i grwpiau tebyg godi mewn rhyw ddwsin o leoedd eraill yn ne Meirionnydd a gogledd Powys addaswyd y D gan ymgyrchwyr mewn gwahanol ardaloedd i gynrychioli Dolgellau, Dyfi, Dysynni, Dyfrdwy, Dinas Mawddwy, a 'dynoliaeth', yn ôl rhai!

Roedd ein dull o weithredu yn effeithiol iawn. Doedd dim rhyngrwyd cyfrifiadurol, Facebook, Twitter, na hyd yn oed ffonau symudol yn bodoli'r dyddiau hynny ond trefnwyd i bob grŵp gael ei rannu yn grwpiau llai o ryw bedwar. Os oedd ffarmwr neu unigolyn arall yn gweld archwilwyr drwgdybus ar ddarn o dir, byddai'n ffonio'r tri pherson arall yn ei grŵp. Byddai pob un o'r rheiny yn ei dro yn ffonio tri pherson arall ac yn y blaen. Roedd pawb yn gwybod ei le yn y rhwydwaith ac at bwy i drosglwyddo'r neges. Wedyn byddai cynifer o gefnogwyr â phosibl yn cyrraedd mewn tractor, lori, car neu ar droed, er mwyn rhwystro llwybrau'r archwilwyr.

Trefnwyd deiseb a arwyddwyd gan bymtheg mil o bobl, a chynhaliwyd ralïau a gorymdeithiau protest. Roedd pob ffarmwr yn yr ardal yn gwrthod mynediad i'w dir i unrhyw archwilwyr; nid felly'r Comisiwn Coedwigaeth a oedd wedi rhoi caniatâd iddynt. Daeth y comisiwn hwnnw, felly, yn darged gennym. Buom yn protestio yn eu pabell ar faes yr Eisteddfod Genedlaethol, yn gorymdeithio i gynnal rali yn y fforestydd eu hunain, ac yn cynnal *sit in* yn eu swyddfeydd yn Aberystwyth.

Er i mi annerch ambell rali neu gyfarfod fy hun pan nad oedd hi'n bosibl i Geraint fod yno, roedd yn well gennyf wneud y gwaith ymchwil a chasglu'r ffeithiau a fyddai'n ddefnyddiol i Geraint yn ei areithiau ef. Fy ngwaith i yn y cyfarfodydd oedd cyfieithu ar y pryd o'r Gymraeg i'r Saesneg ar gyfer y di-Gymraeg, gan ddefnyddio'r offer cyfieithu a fenthyciwyd i ni am ddim gan Gyngor Tref Dolgellau.

Dwi'n cofio codi'n gynnar un bore a mynd gyda grŵp o wragedd eraill i faes parcio gwesty bach ym Machynlleth ac amgylchynu car dau archwiliwr, a fu'n aros yno dros nos, er mwyn eu rhwystro rhag symud a mynd â'u hoffer ymchwilio i'r lleoedd dynodedig. Galwyd yr heddlu ond, ar ôl i'r plismon ddweud wrthym yn Gymraeg ei fod ar ein hochr ni, trodd at yr archwilwyr a dweud wrthynt nad oedd e'n gallu gwneud dim byd gan fod y brotest yn digwydd ar dir preifat, a doedd perchennog y tir, a oedd eisoes wedi mynd allan am y dydd, ddim yno i wneud cwyn.

Roedd y Llywodraeth wedi dewis ardal cefn gwlad â phoblogaeth gymharol isel, gan feddwl na fuasai llawer o wrthwynebiad gan y trigolion diniwed yno; buan iawn y sylweddolwyd nad felly fyddai hi.

Ar 28 Mehefin 1980 yn seremoni cyhoeddi'r Eisteddfod Genedlaethol ym Machynlleth ar gyfer y flwyddyn ddilynol, cyfeiriodd Geraint, yn ei araith fel Archdderwydd o'r Maen Llog, at y ddau fater uchod, sef y chwilio am le i gladdu gwastraff niwclear yn yr ardal a'r ymgyrch dros gael sianel deledu Gymraeg. Arweiniodd hyn at gŵyn yn y *County Times* gan Delwyn Williams, yr Aelod Seneddol Ceidwadol dros Faldwyn, yn ceryddu Geraint am 'using the cultural occasion to deliver a political speech, and [that he, Delwyn Williams] would seek a review of government grant for the event'. Collodd Delwyn Williams ei sedd yn yr etholiad nesaf.

Serch hynny, parodd ei araith i drysorydd Eisteddfod Dyffryn Lliw 1980 ysgrifennu at Gyngor yr Eisteddfod Genedlaethol, gan ddweud: 'Awgrymaf i Gyngor yr Eisteddfod y dylai drafod y mater hwn ar frys, gyda'r amcan o wneud datganiad yn anghymeradwyo barn Geraint Bowen, ac ymhellach efallai, ei ddiswyddo o'i wahanol swyddi ynglŷn â'r Eisteddfod Genedlaethol.'

Ni ddigwyddodd hynny. Ond rhaid gwahaniaethu rhwng agwedd yr Orsedd yn y pethau hyn ac agwedd rhai o swyddogion yr Eisteddfod Genedlaethol ei hun. Roeddynt hwy yn gorfod canolbwyntio ar lwyddiant ariannol yr ŵyl ac ennill cymhorthdal gan y Llywodraethau canol a lleol yn ogystal ag annog busnesau yn y sector preifat i'w hariannu.

Bu maes Eisteddfod Dyffryn Lliw 1980 yn lleoliad nifer o brotestiadau gan MADRYN a hefyd gan aelodau Cymdeithas yr Iaith Gymraeg ac eraill dros gael sianel deledu Gymraeg. Ac, ar ddiwrnod ymweliad yr Ysgrifennydd Gwladol, Nicholas Edwards, â'r maes, eisteddodd nifer o bobl ifanc (yn cynnwys Siân ni) o flaen ei gar i rwystro'r cerbyd rhag symud.

Mewn derbyniad wedyn ar gyfer rhai o bwysigion yr Eisteddfod doedd Geraint a minnau ddim yn hapus bod y Llywydd yn dechrau'r gweithgareddau drwy ymddiheuro i Nicholas Edwards am y digwyddiad. Cawsom syndod yn y cinio a ddilynodd fod y trefnwyr wedi ein rhoi i rannu bwrdd bach crwn ar gyfer rhyw chwech o bobl gyda'r Ysgrifennydd Gwladol a'i wraig, a chefais fy hun yn eistedd rhwng Geraint a Nicholas Edwards. Roedd y sgwrs rhyngom yn ddigon cwrtais a chyffredinol, er fy mod i'n synnu bod yr Ysgrifennydd Gwladol yn gwybod llawer amdanaf: fy ngwreiddiau, fy mod i wedi dysgu siarad Cymraeg a'r ffaith mai fi a sefydlodd Ferched y Wawr. Gwneuthum sylw i'r perwyl hwn, a dywedodd, 'Oh, it was all in the briefing I had about you.' Roedd hi'n amlwg nad cyd-ddigwyddiad oedd y ffaith fy mod i'n eistedd nesaf ato! Dywedodd ei fod wedi ceisio dysgu Cymraeg ei hun ond wedi methu. Doedd hyn ddim yn fy synnu o gwbl gan fod ei acen Saesneg ddosbarth uchel mor ddigyfaddawd.

Cyn diwedd y cinio trodd y sgwrs at yr anghydfod ynglŷn â chladdu gwastraff niwclear yn ardal Corris ac, ar ôl gwrando ar fy nadleuon am dipyn, fe'm syfrdanodd pan ddywedodd, 'Alright, I'll see it doesn't come to your back yard!' Gofynnais innau, 'May I quote you on that?' Ei ateb ef oedd, 'Don't you dare!' Rai misoedd yn ddiweddarach cyhoeddwyd bod y Llywodraeth wedi penderfynu peidio â pharhau i chwilio am le i gladdu gwastraff niwclear yng Nghymru.

**

Ym mis Rhagfyr 1983, a ninnau yn lolfa ein byngalo yn Nhal-y-llyn yn paratoi at y Nadolig, fe ganodd y ffôn yn y cyntedd ac aeth Geraint i'w ateb. Daeth yn ôl i'r lolfa ymhen ychydig eiliadau, yn llawn cyffro ac yn cyhoeddi'n gryno, 'Yr Athro Caerwyn Williams o Aberystwyth sydd ar y ffôn. Mae 'na ymgyrch i sefydlu adran Geltaidd ym Mhrifysgol Ottawa yng Nghanada, ac mae eisiau gwybod a fyddwn ni'n dau'n fodlon mynd yno yn y flwyddyn newydd am dri mis, fi i ddarlithio yn y Gymraeg a tithau yn y Llydaweg!' Fel arfer, byddaf yn bwyllog ac yn cymryd amser i benderfynu, ond atebais ar unwaith y tro hwn, 'Iawn!'

Erbyn hynny roedd ein plant i gyd wedi gadael y nyth, ac roedd fy nhad wedi symud yn ôl i ardal Birmingham lle roedd fy chwaer yn byw, felly doedd dim yn ein rhwystro rhag mynd. Aethom i Birmingham i'w weld ar y ffordd i'r maes awyr, ond, cyn cyrraedd yno, sylwom ni fod Geraint wedi colli dau fotwm oddi ar y gôt gynnes newydd roedd wedi'i phrynu ar gyfer tywydd oer Canada. Bu raid i ni chwilio am siop fotymau ac edau yn Birmingham er mwyn i mi wnïo set newydd ar ei gôt wrth deithio ar y trên i'r maes awyr.

Roedd tywydd Canada yn oerach nag roeddwn wedi'i ddychmygu, a phopeth o dan drwch dwfn o eira gwyn yn ystod ein tri mis yno. Roedd y rhew wedi sychu'r awyr, a dysgais yn gyflym i fod yn ofalus iawn rhag cyffwrdd ag unrhyw beth metel, fel dolen drws, neu byddwn yn cael sioc trydan bach. Doedd Geraint, rywsut, ddim yn cael ei effeithio yn yr un modd.

Ond os oedd hi'n oer fel rhewgell y tu allan ar strydoedd Ottawa roedd hi'n boeth fel popty y tu mewn i bob adeilad, a rhaid oedd diosg ein cotiau cynnes yn syth, hyd yn oed wrth fynd i mewn i'r siopau mawr. Roedd gwres trydan yn rhad iawn yno, a'r rheswm am hynny oedd fod y pŵer yn cael ei gynhyrchu gan raeadrau anferth y Rideau lle roedd afon arall yn gwacáu i afon Ottawa. Y gair Ffrangeg am len yw *Rideau* ac ystyriai'r gwladychwyr cynnar o Ffrainc fod y rhaeadrau hyn yn debyg i lenni.

Y trefniant oedd fod Geraint a minnau yn aros un mis ar y tro ar aelwydydd tri theulu o Gymry Cymraeg, sef Tal a Shirley Griffiths, John a Gwyneth Watkins a Wendy Jones. Dwi'n falch o ddweud i ni gyd-dynnu'n dda iawn gyda phob un ohonynt ac i'n cyfeillgarwch barhau ar hyd y blynyddoedd wedi hynny. Cwrddom â llawer iawn o Gymry eraill yno hefyd a chawsom sawl gwahoddiad i gymdeithasu gyda nhw ar eu haelwydydd ac yn eu cymdeithasau.

Roedd disgwyl i Geraint a minnau draddodi ambell ddarlith gyhoeddus fin nos, yn ogystal â chyflwyno gwersi yn y brifysgol Peth doniol iawn i ni oedd cael ein disgrifio fel *visiting professors* ar y posteri yn hysbysebu'r cyfarfodydd hyn, ond *professors*, mae'n debyg, yw'r gair a ddefnyddir yno ar gyfer pob math o ddarlithwyr yn y prifysgolion.

Roedd llawer iawn o'n hamser hamdden yn cael ei neilltuo i baratoi'r gwersi a'r darlithiau ond, serch hynny, cawsom hefyd gyfleoedd i fwynhau ein hymweliad â Chanada a chwrdd â phob math o bobl, yn cynnwys entrepreneuriaid cyfoethog fel Terry Mathews sydd, erbyn hyn, yn un o'r dynion cyfoethocaf yng Nghymru ac a oedd yn ffrind i Tal a Shirley, neu bobl a oedd yn ymgyrchu dros hawliau'r Inuitiaid brodorol.

Roedd fflat John a Gwyneth yn wynebu'r gamlas lydan a lifai drwy ganol y brifddinas hardd. Byddai'r gamlas, fel pob dim arall, yn rhewi yn y gaeaf a chyfeirid ati fel 'the world's largest skating rink'. Gellid gweld twr o bobl bob dydd yn sglefrio ar ei hyd i fynd i'w gwaith yn hytrach na defnyddio'u ceir ar y ffyrdd llawn eira.

Un o uchafbwyntiau ein hymweliad ag Ottawa oedd cael pâr o docynnau prin iawn (a'r rheiny am ddim) i fynd i sesiwn terfynol Cystadlaethau Sglefrio'r Byd a oedd yn cael ei chynnal yn Ottawa ar y pryd. Cawsom y fraint o weld y cwpl enwog Jayne Torvill a Christopher Dean yn cipio'r brif wobr am eu perfformiad syfrdanol a bythgofiadwy wrth sglefrio i gerddoriaeth Bolero gan Ravel.

Cawsom gyfle ar y penwythnosau ac yn ystod gwyliau hanner tymor i deithio i leoedd eraill yng Nghanada, ac roedd y rhwydwaith o gysylltiadau Cymraeg a oedd gan Shirley Griffiths ym mhobman yn sicrhau ein bod ni'n cael croeso a llety ble bynnag y byddem yn mynd.

Roedd Geraint wedi cael gwahoddiad i roi darlith ar y gynghanedd ym Mhrifysgol Harvard yn Cambridge, Massachusetts, yn yr Unol Daleithiau. Y ffordd fwyaf cyfleus o fynd yno oedd dal awyren i Efrog Newydd. Treuliom ddiwrnod yn y ddinas honno yn gweld yr atyniadau enwog, yn cynnwys Central Park a'r Statue of Liberty yng nghwmni Cymry Cymraeg a oedd yn adnabod Shirley.

Gan fod gwyliau'r hanner tymor yn hwy, penderfynom deithio ymhellach, gan gymryd awyren i Calgary ac yna teithio ar y trên drwy'r Rockies i Vancouver a mwynhau'r golygfeydd ysgytwol drwy ffenestri'r cerbyd arsyllu. Ar y ffordd yn ôl, aethom i weld rhai o ddisgynyddion chwaer fy nhad a oedd yn dal i fyw yn British Columbia ac Alberta.

Cymysgedd o waith caled ac atgofion bythgofiadwy oedd ein tri mis yng Nghanada. Aethom yno i addysgu eraill ond rhaid dweud i ni ddysgu llawer mwy ein hunain gan yr holl bobl y daethom ar eu traws a'r holl brofiadau a gawsom yn ystod ein tymor yno.

Yr Hen Reithordy

AETH 15 MLYNEDD heibio ers i ni fel teulu symud i fyw i'r byngalo Tremlyn yn Nhal-y-llyn, ac, er ei fod yn cynnig un o'r golygfeydd hyfrytaf yng Nghymru, dros Lyn Myngul a'r mynyddoedd o gwmpas, roedd nifer y cerbydau a basiai heibio i gefn y tŷ wedi cynyddu yn ystod ein cyfnod yno. Byddem yn cael ein galw at y drws yn aml gan fodurwyr neu feicwyr yr oedd eu cerbydau wedi torri i lawr, neu a oedd wedi cael damwain wrth ddod i lawr y rhiw, neu wedi methu mynd i fyny'r rhiw yn yr eira.

Pan ddychwelodd Geraint a minnau o Ganada ar 8 Ebrill 1984, cawsom wybod bod yr Hen Reithordy ar lan llyn Myngul ar werth. Roedd y rhan fwyaf o berchnogion yr ychydig ffermydd a oedd o gwmpas y llyn yn ychwanegu at eu hincwm drwy gadw ymwelwyr yn yr haf, ac roeddwn wedi bod yn meddwl dechrau gwneud rhywbeth tebyg ers tro. Er i mi fod yn brysur iawn drwy gydol y 24 blynedd ers rhoi'r gorau i'm swydd fel athrawes yn Wrecsam i eni a magu Nia, doeddwn i ddim wedi ennill ceiniog am fy holl waith, ac roeddwn yn gorfod dibynnu ar fy ngŵr am fy mywoliaeth a gobaith o bensiwn yn y dyfodol. Doedd Geraint ddim wedi bod yn awyddus i mi ddychwelyd i ddysgu, gan ddweud y dylid gadael i ferched dibriod gael y swyddi hynny yn hytrach na'u rhoi nhw i wragedd dynion fel arolygwyr ysgolion a oedd eisoes yn ennill cyflog da! Ond dwi'n amau ai dyna oedd ei wir reswm.

Dechreuais freuddwydio am brynu'r Hen Reithordy gyda'i bum ystafell wely a'i droi yn westy gwely a brecwast. Penderfynais awgrymu'r peth yn betrusgar wrth Geraint a sylweddoli, er mawr syndod a boddhad i mi, ei fod yntau wedi bod yn meddwl am yr un peth. Dyma gysylltu, felly, â'r cymdogion a oedd yn gwerthu'r tŷ a chymryd y camau cyntaf i'w brynu.

Un o'r pethau cyntaf roedd yn rhaid i ni benderfynu yn ei gylch oedd a oeddem yn mynd i werthu'r byngalo roeddem yn byw ynddo, er mwyn talu pres parod am yr Hen Reithordy, neu a oeddem yn mynd i gadw'r byngalo a'i rentu er mwyn talu morgais ar y fenter newydd. Doeddem heb benderfynu'n iawn pan ddaeth Steffan, y mab, ac Alison ei wraig i aros atom o Swydd Gaerloyw, lle roeddynt yn gweithio, i fynychu angladd un o'n cymdogion eraill yn Nhal-y-llyn.

Roeddynt wedi dwlu ein bod ni'n mynd i brynu'r Hen Reithordy ac yn awyddus i ymuno yn y fenter, a dyna a ddigwyddodd.

I ddechrau, y cynllun oedd bod y ddau yn treulio eu penwythnosau yn yr Hen Reithordy ond, cyn i'r gwerthiant gael ei gwblhau, roedd Alison wedi penderfynu dod i fyw yno yn barhaol er mwyn iddynt anfon eu plant, Gareth a Rhian, i'r ysgol agosaf yn Abergynolwyn i gael addysg trwy gyfrwng y Gymraeg. Byddai Steffan yn aros yn ei swydd yn Lloegr nes iddo gael swydd yn agosach at Dal-y-llyn.

Gan fod fy merch-yng-nghyfraith yn awyddus iawn i ofalu am y gwaith gwely a brecwast, a Steffan yno ar y penwythnosau, cefais yr awydd i ailgydio yn fy niddordebau ieithyddol mwy academaidd. Ym mis Medi, daeth cyfle i mi fynd i Lydaw yn rhan o grŵp a ddanfonwyd yno gan swyddfa ieithoedd lleiafrifol y Gymuned Ewropeaidd. Wrth sôn am y digwyddiad hwn ni allaf egluro'n well na thrwy ddyfynnu o eitem o newyddion yn *Y Cymro* (4 Medi 1984):

Mae Swyddfa Ewropeaidd sy'n ymwneud ag ieithoedd lleiafrifol yn danfon grŵp o dri Eidalwr, un Albanwraig ac un person o Gymru i Lydaw ym mis Medi i wneud astudiaeth o le'r iaith Lydaweg yn y ddarpariaeth addysg yno.

Cynrychiolir Cymru gan Zonia Bowen...

Heblaw ymweld ag ysgolion meithrin a chynradd yn Llydaw a drefnir gan y mudiad gwirfoddol Diwan, fe fydd y grŵp yn ymweld ag ysgolion uwchradd, colegau hyfforddi, prifysgolion Rennes a Brest a gorsafoedd radio a theledu.

Trefnwyd cyfarfodydd ag arweinwyr mudiadau diwylliannol a ieithgarwyr yn ymwneud â statws ieithoedd Ffrainc...

Noddir yr ymweliad gan Gomisiwn y Cymunedau Ewropeaidd a chyflwynir adroddiad gan y grŵp am yr ymweliad i'r corff hwnnw ym mis Hydref.

Yr unig sylwadau y gallaf innau eu hychwanegu wrth sôn am fy atgofion o'r daith arbennig honno yw ei disgrifio fel rhuthr blinedig o un lle i'r llall wrth geisio dysgu a chofio'r holl ffeithiau gwahanol yn ymwneud â sefyllfa'r iaith Lydaweg, ac o un gynhadledd i'r wasg i'r llall yn ceisio ateb cwestiynau yn Ffrangeg am sefyllfa gymharol yr ieithoedd brodorol yn ein gwledydd arbennig ni. Ar ôl cyrraedd adref, ysgrifennodd pob un ohonom adroddiad manwl a'u danfon i'r Swyddfa Ewropeaidd a oedd yn ymwneud â'r ieithoedd lleiafrifol, ond i ba bwrpas, dyn a ŵyr! Roedd Llywodraeth Ffrainc yr un mor ystyfnig bryd hynny ag y mae heddiw. Mae arni ofn y bydd yr iaith Lydaweg neu unrhyw un o ieithoedd lleiafrifol eraill Ffrainc yn ennill tir, ac y bydd hynny'n fygythiad i undod Ffrainc.

Yn ddiweddarach yr un mis, cofrestrais ar gyfer cwrs gradd uwch rhan amser newydd mewn Ieithyddiaeth drwy gyfrwng y Gymraeg a oedd yn dechrau yng Nghaerdydd Treuliais lawer o amser y flwyddyn ganlynol yn teithio yn ôl ac ymlaen i'r brifddinas, yn dilyn darlithiau ac yn ysgrifennu traethodau, yn ogystal â gwneud fy rhan yn y fenter gwely a brecwast.

Rhaid dweud i mi fwynhau'r cwrs yn fawr iawn, ond daeth tro ar fyd unwaith eto ar ddechrau haf 1985. Roedd Steffan wedi methu cael gwaith yn yr ardal ac roedd Alison, nad oedd wedi llwyddo i ymgartrefu yn Nhal-y-llyn, yn awyddus iddynt symud i Ganada lle roedd ei theulu yn byw. Roedd Geraint a minnau yn drist iawn oherwydd hyn, ond doedd dim i'w wneud ond derbyn eu penderfyniad.

Roedd gwneud gwaith coleg, cadw dau dŷ ac ymwelwyr yn ddigon o waith ynddo'i hun, ond ar ben hynny euthum yn sâl a bu raid i mi gael triniaeth yn yr ysbyty. Oni bai am Siân, a oedd ar ei gwyliau o'r brifysgol, dwi ddim yn gwybod sut buasem wedi gallu dod i ben. Oherwydd y boen gyson a'r teimlad fod popeth yn ormod i mi bûm yn dioddef o iselder am wythnosau. Rhoddais y gorau felly i'r cwrs prifysgol yng Nghaerdydd a phenderfynom werthu Tremlyn. Dechreuais wella yn araf deg.

Wedi hynny roeddwn wrth fy modd yn rhedeg yr Hen Reithordy fel gwesty gwely a brecwast. Roedd hynny'n golygu llawer o waith caled i Geraint a minnau yn ystod yr haf, wrth gwrs, ond cwrddom ni â llawer iawn o bobl ddiddorol o bob rhan o'r byd, a daeth rhai ohonynt yn ffrindiau parhaol. Un enghraifft oedd tri Sbaenwr, prifathro a chwpl ifanc priod a oedd yn athrawon mewn coleg preifat i ddysgu Saesneg yn Almeria. Byddent yn dod i Brydain bob haf i ymarfer eu Saesneg, gan aros gyda ni yn Nhal-y-llyn bob mis Awst. Erbyn y diwedd, roeddem yn fodlon gadael iddynt aros yn yr Hen Reithordy tra oeddem i ffwrdd yn yr Eisteddfod Genedlaethol. Cawsom ninnau yn ein tro gyfle i fynd i aros gyda nhw am wyliau yn Sbaen. Tra oeddem yno deuthum i adnabod brawd yr athrawes ifanc. Ei enw ef oedd Jesús. Bob blwyddyn wedi hynny, byddem yn cael cerdyn Nadolig oddi wrth Jesús!

Rhywun a fyddai'n galw heibio'r Hen Reithordy i sgwrsio â Geraint oedd y bardd R. S. Thomas. Daethom i'w adnabod gyntaf mewn cyfarfodydd yn ymwneud â'r ymgyrch wrth-niwclear. Yn dilyn ein llwyddiant gyda MADRYN, dechreuodd rhai ohonom a fu'n perthyn i'r mudiad hwnnw fynychu cyfarfodydd yn ardal Trawsfynydd i gefnogi'r trigolion a oedd yn gwrthwynebu cynlluniau i ymestyn yr atomfa yn yr ardal honno. Daeth cais ffurfiol o gyfarfod o'r trigolion hyn yn gofyn am ganiatâd i ddefnyddio'r enw MADRYN ar gyfer eu hymgyrch hwythau. Ond, wedi galw cyfarfod o holl aelodau MADRYN a thrafod y mater, penderfynwyd cadw'r enw hwnnw ar gyfer ei bwrpas arbennig gwreiddiol sef, amddiffyn ardal Dolgellau/ Machynlleth rhag unrhyw gynllun i gladdu gwastraff niwclear yno. Penderfynodd trigolion ardal Trawsfynydd fabwysiadu'r gair CADNO ar gyfer eu hymgyrchoedd gwrthniwclear hwy.

Cwpl arall a ddaeth yn arbennig i Dal-y-llyn i weld Geraint oedd Lance Thomas a Susan Prey o Los Angeles, y naill o dras Gymreig a'r llall o dras Wyddelig. Roedd Geraint eisoes wedi synnu wrth dderbyn llythyr oddi wrthynt yng ngwanwyn 1985 yn dweud eu bod yn awyddus i briodi mewn seremoni Geltaidd ar ben Glastonbury Tor yng Ngwlad yr Haf, y bryn trawiadol a thŵr ar ei gopa a gysylltir â chwedlau am y brenin Arthur. Roedd Lance (ei enw llawn oedd Lancelot) wedi'i ddylanwadu arno'n ddwfn ers ei ieuenctid gan y straeon am farchogion y ford gron a dychmygai ei hun yn un ohonynt. Fel arall roedd Lance (a oedd yn ddyn busnes llwyddiannus a chanddo ddigon o arian) a Susan, ei ddarpar wraig, yn gwpl hollol normal a hyfryd. Roeddynt am i Geraint, fel prifardd a oedd wedi bod yn Archdderwydd, arwain y seremoni briodas.

Eglurodd Geraint wrthynt mewn llythyr na fyddai priodas o'r fath yn gyfreithlon ynddi'i hun ac y byddai'n rhaid iddynt briodi mewn swyddfa gofrestru sifil, neu mewn capel neu eglwys yn gyntaf. Dyna oedd y rheol ar y pryd. Awgrymodd eu bod yn cysylltu â'r Archdderwydd newydd Elerydd, sef y Parch W. J. Gruffydd, a oedd hefyd yn weinidog gyda'r Bedyddwyr.

Ond mae'n ymddangos i hwnnw wrthod gwneud dim oll â'r syniad. Ac, yn hollol ddirybudd, tua chanol mis Hydref cyrhaeddodd y cwpl ein cartref yn Nhal-y-llyn ac ymbil ar Geraint i arwain y seremoni ar ben Glastonbury Tor ar 1 Tachwedd. Roeddynt eisoes wedi llunio drafft o sgript ar gyfer y seremoni, paratoi eu dillad canoloesol Celtaidd, trefnu i lond awyren o berthnasau a ffrindiau hedfan o

America, llogi trympedwyr y Royal Corps of Transport i seinio ffanffer i groesawu'r pâr a'u gwesteion i gopa'r Tor, a bod dynion Ambiwlans Sant Ioan yn cludo hen nain i fyny'r llechwedd gan nad oedd hi'n ddigon abl i ddringo'r bryn 520 troedfedd o uchder. Roeddynt hefyd wedi trefnu llety mewn gwesty moethus i'r holl ymwelwyr, a gwledd briodas helaeth i ddilyn y seremoni.

Doedd dim iws i Geraint ddweud na fyddai ganddo hawl i wisgo gwisg swyddogol Gorsedd y Beirdd. Datrysodd y briodferch y broblem drwy fynd, heb oedi, i Fachynlleth i brynu ychydig lathenni o ddefnydd gwyn a, chyda help fy mheiriant gwnïo i a llun yn llyfryn Gorsedd y Beirdd, gwnaeth urddwisg a phenwisg Derwydd ar gyfer Geraint. Datryswyd problem cyfreithlonrwydd y seremoni drwy ymweld â chofrestrfa yn Shepton Mallet ar fore'r briodas.

Mwynhaodd pawb yr achlysur yn fawr iawn, ond yr hyn a barodd y syndod mwyaf i mi oedd yr holl gyhoeddusrwydd a gafodd y seremoni yn y wasg. Roedd y math hwn o seremoni briodas, nad oedd yn digwydd mewn lle o addoliad neu swyddfa gofrestru, yn bur unigryw yn y dyddiau hynny. Roedd torf o bobl wedi ymgasglu ar y Tor o flaen llaw ac roedd camerâu'r wasg a'r teledu ym mhobman. Ceisient wthio rhwng Geraint a'r ddau roedd yn ceisio eu priodi yn eu hymdrech i gael lluniau. Parhaodd ein cyfeillgarwch ni â Lance a Susan ar hyd y blynyddoedd. Maent wedi hen ddathlu eu priodas arian erbyn hyn.

Daeth galw arnaf i arwain math arall o seremoni y flwyddyn ganlynol pan fu farw fy nhad. Roedd yn 101 oed erbyn hynny ac yn yr ysbyty yn Birmingham yn agos at y man lle bu fy chwaer a'i theulu yn byw ers blynyddoedd. Ond roedd fy mrawd-yng-nghyfraith newydd ymddeol a dychwelyd gyda fy chwaer i fyw i ardal ei blentyndod yn yr Alban. Felly, daeth y profiad trist o dreulio sawl dydd a nos wrth wely angau fy nhad i'm rhan innau. Fi hefyd a drefnodd ac arweiniodd seremoni angladdol fy nhad, seremoni ddigrefydd yn ôl ei ddymuniad.

Yn yr Hen Reithordy yn yr haf, os oedd y tywydd yn braf, deuai cyfleoedd yn y prynhawniau i gael ambell awr allan o'r tŷ yn gweithio yn yr ardd neu'n mynd am dro ar droed o gwmpas y llyn. Mae'r helyntion y clywir amdanynt ar y newyddion yn gwneud i mi deimlo'n isel, ond mae mynd allan i'r ardd ac i fyd natur yn cael effaith i'r gwrthwyneb ac yn therapi llesol. Un o'm pleserau mwyaf oedd mynd yn ein canŵ ar Lyn Myngul a ddeuai i fyny at ein tir ni yn Nhal-y-llyn, ac weithiau drosto. A phan oedd y tywydd yn grasboeth a'r dŵr yn berffaith lonydd, profiad allfydol oedd drifftio'n araf mewn distawrwydd llwyr heibio i'r lilïau dŵr, syllu i lawr ar y tyfiant ar waelod y llyn ac ar y cotieir yn nythu yn yr hesg, neu edrych ar y mynyddoedd yn llifo heibio, a theimlo perffaith heddwch a bodlonrwydd.

Tra oeddem yn byw yn yr Hen Reithordy priododd ein dwy ferch. Priododd Nia yn 1987 ag Owen Owens o Dywyn, Meirionnydd. Roeddynt wedi dechrau canlyn tra oeddynt yn ddisgyblion yn ysgol uwchradd y dref fach honno, ac wedyn yn y brifysgol yn Aberystwyth. Erbyn iddynt briodi, roedd Owen yn athro Mathemateg yn yr Wyddgrug a Nia yn athrawes y Gymraeg yn Ysgol Morgan Llwyd, Wrecsam. Roedd y ddau hefyd yn ddrymwyr mewn bandiau pop, Owen ym mand Geraint Løvgreen a'r Enw Da, a Nia yn y band merched, Pryd Ma Te.

Y flwyddyn ganlynol priododd Siân â Rhys Harris, o'r Rhos, Pontardawe, a oedd erbyn hynny yn gyfrifydd siartredig yng Nghaernarfon. Roedd yntau hefyd wedi bod yn aelod o fand pop ac yn brif leisydd y Trwynau Coch. Roedd Siân bryd hynny yn athrawes ym Methesda.

Fi a bobodd ac addurno teisennau priodas

y ddwy a minnau hefyd a wnaeth ffrog morwyn briodas i Siân i gyd-fynd â ffrog briodas Nia.

Yn ystod y gaeaf, defnyddid yr elw roeddem wedi'i wneud drwy gadw ymwelwyr i fynd ar wahanol deithiau i weld rhannau eraill o'r byd, yn eu plith Gogledd a De America, Affrica, India, Tsieina, Awstralia, Seland Newydd, ac un daith o gwmpas y byd. Roedd yn well gennym fynd ar ein pennau ein hunain neu mewn parti bach o ryw hanner dwsin yn hytrach nag ar un o'r teithiau torfol a drefnid gan y cwmnïau mawrion. Roedd yn well gennym hefyd letya mewn pentrefi gwledig tlawd yn agosach at y bobl gyffredin nag mewn gwestai crand sawl seren yn y trefi a'r dinasoedd, er i ni wneud hynny weithiau hefyd.

Byddai Geraint a minnau hefyd yn brysur yn gwneud llawer o waith ymchwil ac ysgrifennu yn ystod y gaeaf. Cyfrannais nifer o adolygiadau llyfrau i gylchgrawn y Cyngor Llyfrau ac erthyglau ar bynciau mor amrywiol â 'Hanes y Facbib', 'Priodi', 'Mary Wollstonecraft' ac 'Ymgodymu Celtaidd' i sawl cyfnodolyn, yn cynnwys cyfraniadau cyson ar wahoddiad y *Cambrian News* i'w colofn 'Cnoi Cil'.

Daeth sawl cais hefyd i mi gynnal dosbarthiadau Llydaweg ar benwythnos a fyddai'n cael eu cynnal o dro i dro yn Wrecsam, Aberystwyth a Nant Gwrtheyrn. Anghofia i fyth yr ychydig ddyddiau a dreuliais yn y Nant un mis Chwefror a hithau'n chwipio rhewi. Roedd hynny cyn iddynt osod unrhyw fath o wres canolog (neu unrhyw fath o wres o gwbl am wn i!) ym mythynnod bach y pentre. Roeddwn wedi mynd â sawl set o ddillad gyda fi, ond bu'n rhaid i mi wisgo'r cwbl ar yr un pryd i geisio cadw'n gynnes. Roedd oriau'r nos yn oerach fyth, ac aeth y ferch roeddwn yn rhannu ystafell â hi adref ar ôl y noson gyntaf gan fod yr oerfel yn ein cadw'n effro drwy'r nos.

Dysgu ac ymarfer y gwahanol ieithoedd Celtaidd oedd pwrpas y cwrs. Cynhaliwyd y dosbarthiadau Gwyddeleg, Gaeleg, Manaweg, Cernyweg a Llydaweg i gyd drwy gyfrwng y Gymraeg. Yr hyn a'm trawodd i yn od (er nad oedd y lleill fel petaent yn synnu o gwbl) oedd nad oedd yr un o diwtoriaid yr ieithoedd hyn yn Gymry eu hunain. Fel fi, roedd y Gwyddel, y Sgotyn a'r Sais, wedi dysgu Cymraeg fel oedolion, ac wedi'i dysgu'n ddigon da i'w defnyddio fel iaith hyfforddi'r Cymry a oedd yn mynychu'r cwrs.

Tua 1988 cafodd Geraint wahoddiad gan Orsedd Beirdd Ynys Prydain i ysgrifennu hanes yr Orsedd ar gyfer dathliad eu daucanmlwyddiant yn 1992. Roedd Geraint yn awyddus hefyd i gynnwys adrannau ar hanes dwy is-gangen yr Orsedd, sef Gorsedd Llydaw a Gorsedd Cernyw, a chan nad oedd ef yn siarad Llydaweg na Ffrangeg, gofynnodd i mi wneud y gwaith ymchwil angenrheidiol ac ysgrifennu'r ddwy bennod yn ymwneud â'r gorseddau hynny. Roeddwn eisoes wedi ysgrifennu erthygl llai manwl ar 'Gorseddau Llydaw a Chernyw' ar gyfer *Eisteddfota* yn 1979, ond roedd y fenter newydd yn golygu llawer mwy o waith ymchwil mewn llyfrgelloedd ac archifdai yn y wlad hon ac yn Llydaw. Yn y diwedd, ysgrifennais 334 tudalen ffwlsgap print mân ar hanes Gorsedd Llydaw, yn ogystal â'r erthygl 23 tudalen ar Orsedd Cernyw. Roedd hynny, wrth gwrs, yn llawer rhy hir i'w gynnwys yn y llyfr newydd, *Hanes Gorsedd y Beirdd*, felly gwneuthum grynodeb 32 tudalen ar gyfer hwnnw a chyflwyno'r traethawd cyfan i Brifysgol Aberystwyth yn 1990 ar gyfer gradd MPhil a ddyfarnwyd imi yn ei sgil.

Erbyn hynny roedd ein merch, Siân a'i gŵr, Rhys, a oedd wedi ymgartrefu ym Methel, Caernarfon, wedi cael dau blentyn ac roeddynt, meddai Siân, yn awyddus iddynt gael eu magu o fewn 'teulu estynedig'. Yr hyn roedd hi'n ceisio'i ddweud oedd bod angen rhywun arall i warchod y plant o dro i dro.

Pendronodd Geraint a minnau am sbel a ddylem werthu'r Hen Reithordy ac ymddeol i ardal Caernarfon ai peidio. Setlwyd y broblem yn y diwedd pan hysbyswyd ni gan Nia, a oedd hefyd erbyn hynny yn fam, fod ei gŵr Owen wedi cael swydd newydd fel pennaeth Mathemateg yn Ysgol Syr Hugh Owen yng Nghaernarfon a'u bod hwythau yn chwilio am dŷ yn yr ardal honno.

Doedd hi ddim yn hawdd gadael yr Hen Reithordy a'r llyn roeddem yn ei garu cymaint. Ond, wrth ddewis rhwng y llyn a'n teulu, y teulu a enillodd. (Dychwelodd Steffan o Ganada hefyd yn ddiweddarach i weithio yng Nghaernarfon.) Beth bynnag, roeddem yn sylweddoli ein bod yn dechrau heneiddio; byddai'r Hen Reithordy yn rhy fawr a Thal-y-llyn yn rhy anghysbell i ni barhau i fyw yno yn ein henaint. Ar ben hynny roedd y Bwrdd Dŵr, a oedd newydd brynu Gwesty Tynycornel a Llyn Myngul, yn amharod iawn i ganiatáu i ni barhau i ganwio ar y llyn. Gwerthom ni'r Hen Reithordy heb unrhyw drafferth i Gymro Cymraeg y bu ei fam yn gyd-ddisgybl i Geraint yn Ysgol Aberaeron, a phrynu byngalo yng Nghaeathro, Caernarfon. Wrth fynd yn ôl i Arfon roedd Geraint a minnau, mewn ffordd, yn dychwelyd i'r hen gynefin lle roeddem wedi cwrdd ryw 45 mlynedd cyn hynny.

Un o'r pethau olaf a wnaeth Geraint cyn gadael Tal-y-llyn oedd blingo a datgymalu ei hen ganŵ a roddodd bron i 40 mlynedd o wasanaeth a phleser i ni ond, a oedd erbyn hynny, yn dechrau dangos ei oed. Llosgodd y darnau ar goelcerth ffarwél yn yr ardd.

Yn ôl yn Arfon

SYMUDOM NI I Gaeathro ar 21 Gorffennaf 1991. Roedd ein tair wythnos gyntaf yno yn rhai go brysur, rhwng ceisio rhoi trefn ar y tŷ, croesawu ein mab hynaf Rhys a'i wraig, a oedd erbyn hynny yn byw yn Ffrainc, i aros am ychydig ddyddiau, ymweld ag Eisteddfod Genedlaethol Bro Delyn a rhoi lle i gysgu i bedwar Llydäwr a oedd wedi dychwelyd o'r Eisteddfod gyda ni.

Dyneiddiaeth

Ar faes yr Eisteddfod roeddwn wedi digwydd galw heibio i babell Prifysgol Aberystwyth, ac yno fe dynnwyd fy sylw at arddangosfa o gyhoeddiadau'r Ganolfan Astudiaethau Addysg a oedd yn rhan o'r Brifysgol. Dechreuodd y person a oedd yn gofalu am yr arddangosfa, sef Glyn Saunders Jones, cyfarwyddwr y Ganolfan, sgwrsio â fi a dangos cynnyrch diweddaraf y Ganolfan. Yn eu mysg roedd cyfres o lyfrynnau yn ymwneud â chrefydd a chredoau i'w defnyddio gan blant ysgol uwchradd. Edrychais drwy'r llyfrynnau hyn a gofyn iddo a oeddynt yn cadw'r ddysgl yn wastad drwy gynhyrchu rhywbeth ar gredoau digrefydd, er enghraifft Dyneiddiaeth. Cyfaddefodd nad oeddynt wedi gwneud hynny, ond awgrymodd y byddent efallai yn ystyried gwneud rhywbeth tebyg yn y dyfodol.

Anghofiais y cwbl am ein sgwrs fer ar ôl hynny. Ond er mawr syndod i mi, ychydig ddyddiau ar ôl yr Eisteddfod, galwodd Glyn Saunders Jones heibio i'r byngalo yng Nghaeathro a gofyn i mi a fyddwn yn fodlon ysgrifennu llyfryn ar Ddyneiddiaeth i'w gyhoeddi gan y Ganolfan Astudiaethau Addysg. Derbyniais y cynnig heb unrhyw syniad ar y pryd lle i ddechrau na sut i fynd ati.

Roedd *Geiriadur Prifysgol Cymru* yn diffinio'r gair 'dyneiddiaeth' fel 'cyfundrefn o feddwl sy'n ymwneud â phethau dynol (yn hytrach na phethau dwyfol)'. Ond ar ôl yr Ail Ryfel Byd y dechreuodd rhai anffyddwyr ac agnostigiaid gyfeirio at eu hunain fel *humanists*. Teimlent fod geiriau fel 'anffyddiwr' (un nad oedd ganddo ffydd fod Duw yn bod), 'anghredadun' (un nad oedd yn credu) ac 'agnostig' (un a oedd yn dweud nad oedd modd i neb wybod) yn eiriau rhy negyddol. Doeddynt ddim yn fodlon diffinio eu daliadau bellach drwy bwysleisio'r hyn nad oeddynt yn ei gredu, ond eu diffinio yn hytrach mewn geiriau positif gan bwysleisio'r hyn yr oeddynt yn ei gredu.

Fel rhai pobl grefyddol, rhyfeddent wrth holl ryfeddodau natur ond credent y dylid defnyddio tystiolaeth wyddonol a rheswm i ddod o hyd i wirioneddau ynglŷn â bywyd a'r bydysawd yn hytrach na dibynnu ar fytholeg yr oes efydd o'r Dwyrain Canol. Pwysleisiai dyneiddwyr hefyd y 'rheol aur', sef yr angen i ystyried effaith ein hymddygiad ar bobl eraill, ac i beidio â'u trin mewn ffordd na fyddem ni ein hunain yn hoffi cael ein trin. Mae'r egwyddor hon yn un sydd wedi'i phwysleisio gan wahanol athronwyr ac arweinwyr gwahanol grefyddau drwy'r oesoedd ynmhell cyn yr oes Gristnogol. Fel y dywedodd Kurt Vonnegut (1922–2007), Llywydd Anrhydeddus Cymdeithas Dyneiddwyr America, 'Being a humanist is trying to behave decently without expectations of rewards or punishments after you are dead'.

Clywais y gair *humanism* am y tro cyntaf pan oeddwn yn byw yn y Parc yn ystod y chwedegau. Roedd un o'm ffrindiau yn efengylwraig, a chawsom sawl trafodaeth ynglŷn â'n daliadau gwahanol am grefydd. Dwi'n cofio iddi ddweud un diwrnod fy mod yn siarad fel hiwmanist.

Tua'r un pryd digwyddais glywed sgwrs ar y radio gan ddyneiddwraig o'r enw Margaret Knight ar y testun *Morals Without Religion*. (Dwi'n deall ei bod hi eisoes wedi rhoi ambell sgwrs ar yr un testun yn 1955 ond ni chlywais i'r rhai hynny.) Sylweddolais fod pob gair o'i heiddo'n debyg iawn i'r hyn y byddwn i wedi'i ddweud. Roedd hi'n meddwl yn yr un ffordd ag yr oeddwn innau wedi meddwl erioed. Felly danfonais at nifer o gymdeithasau dyneiddiol, yn cynnwys The British Humanist Association (BHA), The Rationlist Press Association a The National Secular Society (pob un â'i phwyslais ar wahanol agweddau ar ddyneiddiaeth) a holi am lenyddiaeth ganddynt. Dechreuais dderbyn ambell gylchgrawn fel *The Rationalist* a *The Freethinker* a danfon tâl aelodaeth i'r BHA er mwyn derbyn eu cylchlythyrau a chael gwybod am yr hyn a oedd yn digwydd.

Serch hynny, ni chwaraeais unrhyw ran bersonol yn y mudiadau hyn fy hun am fwy nag un rheswm. Yn gyntaf, mudiadau Saesneg oeddynt fel y cyfryw, a'u canolfannau yn Llundain, ac yn ail roeddwn wedi bod yn anfodlon gosod labeli arnaf erioed. Credaf fod labeli yn gallu newid eu hystyr dros amser ac yn gallu golygu gwahanol bethau i wahanol bobl. Mae'n well gennyf hefyd benderfynu drosof fy hun beth i'w gredu yn hytrach na derbyn set o gredoau. Yn syml, rwy'n rhydd-feddyliwr (*freethinker*). Er hynny, byddwn yn tueddu i roi pwyslais ar seciwlariaeth, sef y gred y dylai'r wladwriaeth, ei system addysg, a sefydliadau eraill fel y BBC er enghraifft, gadw'n wrthrychol yn eu hagwedd tuag at wahanol grefyddau a chredoau.

Erbyn haf 1993 roedd fy llyfryn Cymraeg 26 tudalen ar Ddyneiddiaeth yn barod i'w gyflwyno i'r cyhoeddwyr. Roeddwn wedi ceisio cadw hwnnw'n wrthrychol hefyd, gan egluro agwedd dyneiddwyr ar bethau ond heb ddangos a oeddwn i'n cytuno â'r agweddau hynny ai peidio. Cedwais hefyd rhag beirniadu unrhyw gredo arall.

Ond, cyn cyflwyno fy llyfryn i'r cyhoeddwyr yn Aberystwyth, meddyliais y byddai'n syniad da i mi ddangos ac egluro fy sgript i rai o arweinwyr y British Humanist Association a oedd, drwy gyd-ddigwyddiad, wedi trefnu cynnal cynhadledd y mudiad y flwyddyn honno ym Mhlas Dyffryn, Bro Morgannwg. Roeddwn yn awyddus i gael cymeradwyaeth ac awgrymiadau ganddynt ac am bori yn rhai o'r llyfrau a'r pamffledi ar y pwnc a fyddai ar gael ar eu stondinau yno. Felly, penderfynais fynychu'r gynhadledd. Heblaw am ysgrifennu'r llyfr am Ddyneiddiaeth yn Gymraeg, doedd dim bwriad gennyf ar y pryd i gymryd unrhyw ran ehangach i hybu Dyneiddiaeth yng Nghymru. Ond nid yw pethau bob amser yn digwydd fel y mae rhywun wedi'i ddychmygu.

Ar ddiwrnod olaf y gynhadledd galwyd cyfarfod ymylol o'r holl aelodau o Gymru a oedd yn digwydd bod yn bresennol, yn cynnwys Geraint a minnau. Roedd nifer o grwpiau dyneiddiol eisoes wedi'u sefydlu yn y de mewn lleoedd fel Caerdydd, Abertawe ac Aberystwyth, ond doedd dim grŵp yn bodoli yng ngogledd Cymru, er bod nifer dda o ddyneiddwyr unigol o'r gogledd yn bresennol.

Yn y cyfarfod cynigiwyd y dylid sefydlu rhyw fath o gyngor dyneiddiol yng Nghymru lle byddai cynrychiolwyr o'r gwahanol grwpiau yn gallu cydweithio i hybu dyneiddiaeth yn ein gwlad ni a lobïo gwahanol awdurdodau yng Nghymru ar faterion yn ymwneud â breintiau crefyddol a chamwahaniaethu, yn eu plith y gwaharddiad rhag i ddyneiddwyr gael eu cynrychioli ar y Cynghorau Ymgynghorol Sefydlog ar Addysg Grefyddol a oedd yn bodoli ym mhob sir.

Er mwyn i Gyngor Dyneiddwyr Cymru gael cynrychiolaeth yn y gogledd yn ogystal â'r de, awgrymwyd y byddai'n beth da i rai o ddyneiddwyr y gogledd ddod at ei gilydd i ffurfio grŵp. Cylchlythyrwyd holl aelodau'r gogledd a galw am gyfarfod. Wedyn, wrth gwrs, codwyd mater yr iaith: oni ddylai'r cylchlythyr fod yn ddwyieithog? Yn y diwedd cytunais i fod yn gyfrifol am y fersiwn Gymraeg.

Mae 'gogledd Cymru' yn ardal eang iawn. Anodd iawn fyddai dewis man cyfarfod addas i bawb, ac ni ellid disgwyl i ddyneiddwyr o Ynys Môn, de Meirionnydd, Wrecsam a Phen Llŷn i deithio milltiroedd er mwyn mynychu cyfarfodydd rheolaidd ar nosweithiau oer y gaeaf. Wedyn roedd problem ieithyddol gan nad oedd eu hanner yn siarad Cymraeg. Serch hynny, ymysg y rhai a oedd â diddordeb yn y cynllun roedd dros 50 yn byw ar hyd arfordir y gogledd, rhyw hanner ohonynt yn Gymry Cymraeg ac yn byw yn ddigon agos at Gaernarfon a'r gweddill, sef y rhai di-Gymraeg, yn byw'n ddigon agos i Ddwygyfylchi. Felly, penderfynwyd sefydlu grŵp Dyneiddwyr Gogledd Cymru, gan gynnal cyfarfodydd Cymraeg yng Nghaernarfon bob yn ail â'r rhai Saesneg yn Nwygyfylchi. Gofynnwyd i mi fod yn gadeirydd y grŵp Cymraeg ac, er mwyn sicrhau bod y Gymraeg yn cael lle teilwng yng ngwaith Cyngor Dyneiddwyr Cymru, cytunais yn ei gyfarfod nesaf i weithredu fel ysgrifennydd y cyngor hwnnw yn ogystal.

Rhaid i mi ddweud nad oeddwn yn awyddus iawn i dderbyn y swyddi hyn ond pe na byddwn wedi gwneud byddai perygl i'r mudiad yng Nghymru droi'n uniaith Saesneg. Yn ystod fy saith mlynedd yn y swyddi hyn, heblaw trefnu cyfarfodydd, cymryd cofnodion a gohebu â'r wasg, canolbwyntiais ar geisio sicrhau bod y Gymraeg yn cael lle teilwng yn y gweithgareddau. Ymysg fy nyletswyddau i sicrhau hyn, rhaid oedd anfon cylchlythyr misol dwyieithog i holl aelodau Dyneiddwyr Gogledd Cymru; cynhyrchu cyfnodolyn bychan Cymraeg o'r enw *Siarad Plaen* ar gyfer dyneiddwyr Cymraeg eu hiaith ym mhob rhan o Gymru; trefnu a bod yn gyfrifol am babell Dyneiddwyr Cymru ar faes yr Eisteddfod Genedlaethol ac, er mwyn cael deunyddiau i'w rhoi ar ein stondin yno, cynhyrchu cardiau cyfarch dyneiddiol, taflenni ar bynciau fel *Beth yw Dyneiddiaeth?* a *Crefydd yn yr Ysgol*, addasu i'r Gymraeg nifer o lyfrau'r BHA ar bynciau fel seremonïau digrefydd ar gyfer angladdau, priodasau ac enwi babanod, a chynhyrchu ar y cyfrifiadur nifer o lyfrynnau wedi'u seilio ar sgyrsiau gwreiddiol a roddwyd gan ddyneiddwyr yng Nghymru. Ar ben hyn oll, roedd galwadau cyson i gynrychioli'r llais dyneiddiol mewn rhaglenni radio a theledu ar bob math o bynciau, o farwolaeth i addysg grefyddol a sut roedd dyneiddwyr yn dathlu'r Nadolig.

Ychwanegwyd at fy nghyfrifoldebau pan symudodd arweinydd y grŵp Saesneg i fyw at ei deulu yn Lloegr a doedd neb arall yn fodlon derbyn swydd cadeirydd nac ysgrifennydd yn ei le. Wrth wneud yr holl waith uchod, ni chefais fawr o help gan neb ac eithrio fy nheulu fy hun.

Wedi hynny, dechreuais gael ceisiadau gan bobl i drefnu ac arwain seremonïau digrefydd ar gyfer achlysuron fel angladd, priodi neu enwi babanod. Rhwng 1994 ac 1999 mi wneuthum i (a Geraint weithiau) drefnu ac arwain un seremoni y mis, ar gyfartaledd. Roedd pob seremoni yn golygu tridiau o waith: un diwrnod i deithio i ymweld â'r teulu i drafod, gwneud nodiadau a dewis cerddoriaeth; diwrnod arall i lunio'r seremoni ei hun a'i theipio, cael gafael ar y gerddoriaeth, cysylltu â'r trefnwr angladdau a'r amlosgfa neu leoliad y seremoni; a gweithgareddau diwrnod y seremoni ei hun. Aem o gwmpas y gwaith yn gydwybodol ac, yn achos angladdau, gyda chydymdeimlad didwyll, ond er i ni werthfawrogi'r diolchiadau diffuant ar lafar neu ar ffurf llythyr a ddeuai atom wedi'r seremoni, nid oedd Geraint na minnau'n hapus yn gwneud y math hwn o waith mewn gwirionedd. Heb sôn am y ffaith fod rhai o'r achlysuron yn drist iawn, pobl breifat iawn oeddem yn y bôn nad oeddem yn awyddus i gymryd rhan mewn unrhyw beth cyhoeddus. Efallai fod hynny'n swnio'n rhyfedd, o gofio bod Geraint yn ei waith fel Archdderwydd wedi gorfod arwain sawl seremoni bwysig, ond nid oedd Geraint na minnau yn rhy hoff o seremoni o unrhyw fath. Roedd yn well gennym achlysuron anffurfiol tebyg i'n priodas ni ein hunain.

Erbyn 1999, pan ddechreuodd y ceisiadau am seremonïau dyneiddiol gynyddu o unwaith y mis i fod yn wythnosol, penderfynodd y ddau ohonom roi'r gorau iddi a chyfeirio'r sawl a oedd yn gwneud y ceisiadau at y BHA am gyfarwyddyd. Oherwydd yr holl straen a'r cyfrifoldeb o gynnal Dyneiddwyr Gogledd Cymru a bod yn ysgrifennydd Cyngor Dyneiddwyr Cymru penderfynais roi'r gorau i'r gwaith hwnnw hefyd y flwyddyn ganlynol.

Fel person digrefydd, y peth olaf roeddwn am ei wneud drwy'r holl flynyddoedd oedd rhoi fy meddwl ar grefydd, ond dyna beth roedd fy nyletswyddau yn y mudiad dyneiddiol wedi gorfodi i mi ei wneud. Fel llawer un arall digrefydd dwi ddim yn teimlo'r angen personol i berthyn i unrhyw fudiad o'r fath. Ar y llaw arall, rhaid cydnabod yr holl waith da mae'r BHA a chymdeithasau tebyg drwy'r byd wedi'i wneud wrth ymgyrchu i gael hawliau cyfartal i bobl ddigrefydd a phobl grefyddol fel ei gilydd. Ddwi'n dal i'w cefnogi am y rheswm hwnnw.

Pan oeddwn yn ifanc cefais i'r argraff mai myfi oedd yr unig un yng Nghymru a oedd yn ddigrefydd. Wrth edrych ar ffigurau Cyfrifiad 2011, cefais foddhad mawr o weld bod un rhan o dair o boblogaeth Cymru wedi ticio'r blwch digrefydd, ac mae nifer o bolau piniwn ers hynny wedi dangos bod y gyfran o unigolion nad ydynt yn dal credoau crefyddol yn cynyddu'n gyson.

***

Er bod y gwaith uchod yn cymryd llawer iawn o'n hamser, roedd Geraint a minnau dal i gael cyfle i fynd ar deithiau tramor anturus, ac ar ambell fordaith fwy moethus hefyd. Roedd Geraint yn awyddus iawn i olrhain disgynyddion un gangen o'i deulu a oedd wedi troi'n Formoniaid ac ymfudo i Utah yn 1863. Felly dyma ni yn 1995 yn hedfan i Salt Lake City (lle roeddem wedi bod unwaith o'r blaen) ond i geisio meithrin cysylltiadau â'i berthnasau Mormonaidd ac olrhain eu hanes y tro hwn.

Roedd eisoes wedi llwyddo i gysylltu ag un neu ddau ohonynt drwy'r post ac roedd un perthynas a'i wraig yn disgwyl amdanom yn Salt Lake City i ddangos lleoedd hanesyddol y Mormoniaid i ni a chawsom gyfle i glywed y Mormon Tabernacle Choir enwog yn canu. Ond pan gyrhaeddom Pocatello yn Idaho, roedd parti sypréis wedi'i drefnu a 37 o berthnasau Mormonaidd yn disgwyl amdanom. Dysgom ni lawer iawn am hanes y teulu ac am arferion y Mormoniaid.

Un peth diddorol sy'n rhan o'u cred yw'r arferiad o 'selio'. Credant mai dim ond y rhai sy'n aelodau o deulu Mormonaidd ac sydd wedi'u bedyddio i'r ffydd sydd yn cael mynediad ar ddiwedd eu hoes i'r nefoedd Formonaidd lle bydd y cysylltiad teuluol yn parhau. Ond hyd yn oed os nad ydych yn Formon maent yn gallu sicrhau eich bod yn gallu ymuno â nhw yn y nefoedd drwy eich 'selio' i'r ffydd drwy eich priodi mewn seremoni arbennig â rhywun sydd eisoes yn Formon. Gall hynny ddigwydd drwy ddirprwy, heb i chi wybod, a hyd yn oed ar ôl i chi farw. Gall yr un maent yn dewis i chi ei briodi fod yn farw ers canrifoedd hefyd. Mae gennyf ryw syniad fod Geraint a minnau eisoes wedi cael ein 'selio' i'r ffydd ganddynt heb i ni wybod dim am y peth! Byddwn yn hollol saff, felly!

Ar ôl symud i Gaeathro, rwyf wedi ymweld â nifer o leoedd diddorol eraill, gyda Geraint neu fy chwaer, yn cynnwys Lebanon, Syria, Ethiopia, Yemen, Gwlad yr Iâ, y Lasynys, Gwlad Thai, India (eto) a Phatagonia (am y drydedd waith). Roedd Geraint a minnau'n aelodau o gangen Môn ac Arfon o Gymdeithas Cymru-Ariannin a hefyd o Bwyllgor Gefeillio Caernarfon a Landerne yn Llydaw. Aethom ar daith fws i Landerne sawl tro gyda'r parti o Gaernarfon, a chroesawu yn ein tro gyplau o'r efeilldref i'n cartref ni yng Nghaeathro. Drwy gyd-ddigwyddiad rhyfedd darganfûm fod nai un o'r cyplau hyn yn briod â merch ifanc o ran arall o Lydaw a ddaeth i aros gyda ni yn Nhal-y-llyn yn y saithdegau. Profiad pleserus oedd adnewyddu ein cyfeillgarwch â'r holl deulu pan oeddem ar ein teithiau (bron yn flynyddol) i Lydaw yn y garafán.

Roedd y garafán yn ddefnyddiol iawn hefyd ar gyfer ein hymweliadau â'r Eisteddfod Genedlaethol bob blwyddyn. Ond daeth tro ar fyd pan benderfynodd Geraint ei fod yn rhy hen bellach i ymdopi â dreifio'r car ac ymdrafferthu â'r garafán. Roeddwn innau o'r un farn a phenderfynom gael gwared â'r ddau.

Roedd llawer o bethau eraill i'w gwneud heblaw galifantio. Heb sôn am wneud y gwaith tŷ a cheisio cadw trefn ar yr ardd, mi fûm am beth amser yn cynnal dosbarth anffurfiol wythnosol yn y gegin ar gyfer rhyw hanner dwsin o ffrindiau neu gymdogion di-Gymraeg a oedd am ddysgu'r iaith.

Ni fyddwn mor haerllug ag ystyried fy hun yn arlunydd o gwbl, ond gallaf ddweud bod arlunio yn rhywbeth y bu gennyf ddiddordeb ynddo erioed. Llwyddais i gael tystysgrif yn y pwnc ar ddiwedd fy hyfforddiant fel athrawes ym Mhrifysgol Bangor, a bûm yn cynorthwyo yn yr adran gelf a chrefft mewn ambell ysgol y bûm yn athrawes ynddynt. Pan oeddem yn byw yn y Parc arferwn anfon lluniau i'r gystadleuaeth arlunio yn eisteddfod y pentre ac i eisteddfod sirol Merched y Wawr Meirionnydd, ond doeddwn i ddim wedi cael y cyfle na'r amser i beintio am dros 30 mlynedd ar ôl gadael y Parc. Roedd pethau amgenach wedi hawlio fy sylw. Ond ar fy mhen blwydd yn 80 oed cefais i'r pleser o dderbyn dwy anrheg werthfawr ac annisgwyl gan fy nwy ferch. Roedd Siân wedi prynu gwaith olew gwreiddiol a thrawiadol o Lyn Myngul yn Nhal-y-llyn gan yr arlunydd Charles Wyatt Warren, a'm gwnaeth i'n awyddus i ailgydio yn y brws paent. Heb wybod am hynny, roedd Nia, wedi prynu offer angenrheidiol i'r pwrpas, sef cynfasau, setiau o baent, brwshys o bob math a maint, a chas mawr i gario'r cynfasau ynddynt. Roeddwn wrth fy modd, yn enwedig pan welais hysbysiad ar hysbysfwrdd y pentre yn cyhoeddi bod gwersi arlunio yn dechrau yng Nghaeathro fis Medi.

Ymunais â'r dosbarth ac am dair blynedd treuliais deirawr yr wythnos yno wedi ymgolli yn llwyr yn fy hoff hobi. Rhaid dweud bod safon gwaith rhai o aelodau eraill y dosbarth yn uchel iawn, a'r athrawes yn fedrus ac yn gydwybodol dros ben. Fi oedd yr hynaf yno wrth gwrs. Anodd oedd ceisio cadw fy llaw rhag crynu wrth ddefnyddio pensil neu frws, ac nid oedd y ffaith bod glawcoma a chataract wedi dechrau ar y ddau lygad yn helpu ryw lawer, ond roeddwn yn mwynhau'r sesiynau yn fawr iawn. Fy anhawster mwyaf oedd fy arafwch wrth wneud pethau, ac roedd rhai o'r lleill wedi gorffen llun bron cyn i mi ddechrau arni. Yr hyn a oedd yn ddiddorol ar ddiwedd y dosbarth oedd gweld bod pob un ohonom wedi portreadu'r pwnc mewn ffordd hollol wahanol ac yn ein dull gwahanol ein hunain.

Roedd y ffaith fy mod i'n gwneud pethau mor araf yn golygu fy mod i'n gorfod treulio llawer o amser gartref yn arlunio er mwyn ceisio cyflawni'r holl waith y disgwylid i ni ei gwblhau. Nid dweud ydwyf nad oedd y gwaith hwn y bleserus, gan y byddwn i'n gallu ei gwblhau yn yr un ystafell lle roedd Geraint yn hepian yn ei gadair.

Yn 1992 roedd Geraint wedi cael trawiad ysgafn ar ei galon a rhywbeth tebyg rai blynyddoedd wedyn heb iddynt amharu rhyw lawer ar ei ffordd o fyw. Ond, noswyl Nadolig 2009, aeth yn sâl a dangosodd profion yn yr ysbyty mai canser oedd arno. Cafodd gwrs o radiotherapi wedyn, ond gwnaeth y meddygon hi'n glir o'r dechrau nad oeddynt yn gallu gwneud dim byd pellach. Amser a ddengys, dyna i gyd. Gyda chefnogaeth fy mhlant, parheais i ofalu amdano yn y tŷ am flwyddyn a hanner ar ôl hynny. Ni chwynodd erioed am ei gyflwr a cheisiodd ei orau i beidio â bod yn drafferth.

Daeth y diwedd ar 16 Gorffennaf 2011. Ein cysur mwyaf ydoedd nad oedd wedi dioddef llawer o boen, a bu farw'n dawel ddeufis cyn ei ben blwydd yn 96 oed. Yn ôl ei ddymuniad, cafwyd cynhebrwng tawel yn yr amlosgfa i'r teulu yn unig, gyda'n hwyrion a'n hwyresau yn arwain. Darllenodd Tomos rai penillion o waith Geraint; canodd Siôn a Gwilym gân Dafydd Iwan, 'Mae Hiraeth yn fy nghalon', un o hoff ganeuon Geraint, i gyfeiliant gitâr; darllenodd Elan a Marged ddetholiad o rai o'r llu o lythyrau teyrnged; a chwaraewyd recordiad o Gôr Godre'r Aran yn canu detholiad o awdl foliant Geraint i'r Amaethwr. Gosododd pob un ohonom yn ei dro rosyn gwyn unigol ar ei arch, yn unol â'i ddymuniad ac fel symbol o'n ffarwél tawel, personol.

Ar ben blwydd Geraint ar 10 Medi, aethom â'i lwch i Geinewydd a'i wasgaru dros y creigiau uwchlaw'r môr lle bu'n crwydro yn ei ieuenctid. Dyma englyn a gyfansoddodd Meirion Macintyre Huws iddo:

Yn hanes y gynghanedd – ni bu neb
   yn uwch ei anrhydedd,
    dewin hyd at y diwedd,
    cawr rhy fawr i unrhyw fedd.

Yn ystod ei flynyddoedd olaf roedd Geraint wedi cael cryn bleser o weld ei wyrion a'i wyresau yn llwyddo yn eu cyrsiau academaidd mewn gwahanol brifysgolion, a hefyd yn y byd adloniant. Roedd wrth ei fodd pan glywodd y canwr Dafydd Iwan ar y teledu un diwrnod yn cyfeirio ato ef a minnau fel 'Taid a Nain y Bandana', sef band roc meibion Nia (Tomos a Siôn), a mab Siân (Gwilym), a'u ffrind Robin. Gresyn na fu Geraint fyw'n ddigon hir i fwynhau caneuon Plu hefyd, sef triawd gwerin plant Siân (Elan, Marged a Gwilym), a chymryd diddordeb yng ngweithgareddau eraill ein hwyrion.

A dyna finnau hefyd wedi cyrraedd milltiroedd olaf fy nhaith drwy'r byd. Fel pob un arall o'r un oed, mae'n siŵr, rwy'n ymwybodol iawn o'r holl bethau y byddwn wedi hoffi eu gwneud yn ystod fy mywyd ond heb fedru eu cyflawni. Ond, wrth edrych yn ôl, yr hyn sydd yn syndod yw'r holl bethau dwi wedi'u gwneud na fu gennyf unrhyw fwriad erioed o'u gwneud!

Soniais ar ddechrau'r atgofion hyn am y rôl bwysig mae hap a damwain yn ei chwarae yn ein bywyd, a sut mae digwydd cymryd un llwybr yn hytrach na llwybr arall wrth unrhyw groesffordd fach neu fawr mewn bywyd yn gallu newid cwrs gweddill y bywyd hwnnw yn gyfan gwbl. Yn fy achos i, y penderfyniad i gymryd y llwybr i Brifysgol Bangor yn hytrach na'r llwybr i brifysgol yn Lloegr oedd yr un tyngedfennol a effeithiodd ar fy mywyd yn llwyr.

Trwy ddysgu Cymraeg enillais i'r fraint o berthyn i glwb arbennig. Mae gan aelodau'r clwb oriad sy'n agor y drws i holl gyfoeth a ffordd o feddwl y genedl, nad yw'r di-Gymraeg yn gallu ei amgyffred. Ond hyd yn oed ymysg y rhai sy'n siarad Cymraeg o'r crud nid pawb sy'n gwerthfawrogi'r manteision o berthyn i'r clwb. Mae cyfrifoldeb ar ein hysgwyddau ni i hyrwyddo'r iaith Gymraeg a cheisio sicrhau dyfodol iddi trwy wneud yn siŵr fod y pethau a wneir drwy gyfrwng y Gymraeg mor ddymunol a chyffrous fel bod pawb yn dymuno perthyn i'r clwb. Dyna'r prif amcan a oedd yn fy meddwl wrth ddechrau Merched y Wawr yn 1967.

Wrth gwrs, roedd mynd ar drywydd y Gymraeg a'r Llydaweg yn golygu i mi gwblhau bron popeth dwi wedi ymwneud â hwy trwy gyfrwng iaith estron. Siaradais Gymraeg â'm plant fy hun yn hytrach na defnyddio'r iaith a fyddai'n fwyaf naturiol i mi. Ac fe'i defnyddiais mewn areithiau cyhoeddus yn ogystal â sgyrsiau anffurfiol. Ysgrifennais filoedd o lythyrau, erthyglau, adroddiadau ac ati yn Gymraeg, yn Llydaweg neu Ffrangeg. Anaml iawn y cefais gyfle i fynegi fy hun mewn print yn fy mamiaith. Tybed a wneuthum gam â mi fy hun drwy beidio â datblygu sgiliau a oedd gennyf yn y cyfeiriad hwnnw a fyddai wedi fy ngalluogi i gynhyrchu rhywbeth mwy creadigol efallai?

Ar ôl treulio'r holl flynyddoedd yng Nghymru, mae nifer yn methu coelio fy mod i'n dal i ystyried fy hun yn Saesnes. Dwi'n cofio Beti George yn y rhaglen radio *Beti a'i Phobl* yn synnu nad oeddwn i'n fodlon ystyried fy hunan yn Gymraes. Atebais drwy ofyn iddi, 'Petaech chi, Beti, wedi treulio blynyddoedd o'ch bywyd yn Lloegr yn cyfathrebu yn yr iaith Saesneg, a fyddech chi'n ystyried eich hunan yn Saesnes?' Ei hateb oedd, 'Na fyddwn'.

Yn sicr ddigon mae bron pob un ohonom, wrth edrych yn ôl ar ein dewis (efallai mympwyol) o lwybrau mewn bywyd, wedi hanner gofyn i ni ein hunain, 'Beth pe bawn...?' Ond, yn fy achos i, mae un peth yn sicr: pe na bawn i wedi mynd i Fangor a phriodi Geraint ni fuasai gennyf y plant a'r wyrion sydd gennyf nawr. Nhw yw fy mhrif hapusrwydd a'm gobaith, ac ni fyddwn yn dymuno bod yr un ohonynt heb gael siawns i fodoli. Am y rheswm hwnnw yn fwy na dim, dwi'n gwybod i mi ddewis y llwybr iawn.

Efallai nad wyf yn Gymraes fy hunan, ond mae fy mhlant yn Gymry a'u pobl nhw yw fy mhobl i.

Am restr gyflawn o lyfrau'r Lolfa, mynnwch
gopi am ddim o'n catalog
neu hwyliwch i mewn i'n gwefan

www.ylolfa.com

lle gallwch archebu llyfrau ar-lein.

TALYBONT CEREDIGION CYMRU SY24 5HE
ebost ylolfa@ylolfa.com
gwefan www.ylolfa.com
ffôn 01970 832 3(
ffacs 832 782